세종
한국어

4B

문화체육관광부
국립국어원

발간사

최근 전 세계인이 접하는 한류 콘텐츠의 규모가 늘어나면서 한류 문화가 확산되고 있고, 그 결과로 한국어를 배우고자 하는 외국인 학습자의 기세가 매우 놀랍습니다. 세계 곳곳이 코로나19로 침체기를 겪던 2021년에도 한국어능력시험 응시자는 30만 명을 훌쩍 넘었으며, 문화체육관광부의 세종학당은 2007년 13곳에서 2022년에는 84개국 244개소로 증가하였습니다. 이러한 한류의 지속적인 확산을 뒷받침하기 위해서는 한국어교육의 탄탄한 지원이 필요합니다.

한류 콘텐츠와 함께 성장하는 한국어교육의 토대를 다지기 위해, 문화체육관광부와 국립국어원은 2011년 처음 발간된 《세종한국어》를 새로 다듬기로 하였습니다. 2019년부터 기초 연구를 시작한 교재 개정 작업은 3년의 시간을 들여, 2022년 드디어 새로운 《세종한국어》를 펴내게 되었고, 이를 세종학당재단과 함께 알리게 되었습니다.

새롭게 개정된 《세종한국어》는 첫째, 세종학당 곳곳에서 한국어를 배우고자 하는 열의로 가득 찬 외국인 학습자 중심의 교재를 지향하였습니다. 둘째, 현지 세종학당의 학습 환경에 따라 유연하게 활용할 수 있는 맞춤형 교재로 정비되었습니다. 셋째, 한류 콘텐츠에 대한 외국인들의 관심을 내용에 반영함으로써, 한국어 공부에 대한 학습자의 부담을 낮췄습니다. 마지막으로 세종학당을 대표하는 표준 교재로서 구심점 역할을 담당하고, 이후의 한국어 학습을 위한 연계성도 잘 갖추었습니다.

세종학당은 한국어와 한국 문화로 한국과 세계를 연결하는 대한민국 대표의 국외 한국어교육 기관입니다. 국립국어원과 문화체육관광부는 앞으로도 세종학당재단과 협력하여 전 세계에서 한국어를 사랑하는 이들이 꿈을 이룰 수 있도록 지속적인 노력과 지원을 아끼지 않겠습니다.

끝으로 교재 개발을 위해 최선의 노력을 기울여 주신 연구·집필진과 출판사 관계자분들께 진심으로 감사의 말씀을 드립니다. 《세종한국어》의 새로운 출발과 함께 문화체육관광부와 국립국어원, 세종학당재단이 세계로 더 나아갈 수 있도록 여러분의 따뜻한 관심 부탁드립니다.

2022년 8월
국립국어원장 장소원

머리말

　세종학당은 한국과 전 세계를 연결하는 한국어·한국 문화 보급 기관입니다. 이번에 개발한 교재는 상호 문화주의에 기반하여 한국어 학습에 대한 학습자의 흥미를 증진함으로써 한국어 의사소통 능력을 향상시키는 것을 목표로 하였습니다. 이를 위해 최근 한국의 상황을 적극적으로 반영하였고 최신 교수법을 구현할 수 있는 새로운 구성과 디자인을 적용하였습니다. 이를 통해 국외 한국어교육의 방향성을 새롭게 제시하고자 하였습니다. 개정《세종한국어》의 구체적 특징은 다음과 같습니다.

　첫째, 세종학당의 표준 교육과정인 가형, 나형, 다형 전 과정에 탄력적으로 활용할 수 있도록 '기본 교재'와 '더하기 활동 교재'로 구분하였습니다. '기본 교재'에는 해당 등급에 필요한 핵심적인 내용을 담았으며, '더하기 활동 교재'에는 심화·확장이 필요한 언어 지식과 의사소통 활동을 담았습니다. 이를 통해 다양한 학습자 특성에 맞게 교재를 선택하여 사용할 수 있도록 하였습니다.

　둘째, 효과적 교수·학습을 위해 단계별로 단원 구성을 차별화하였으며 학습 내용 또한 언어 발달 단계에 맞는 교수 학습 내용과 절차를 적용하였습니다. 특히 다양한 삽화와 시각적 자료를 적극적으로 제시하여 한국어 학습의 흥미를 극대화할 수 있도록 노력하였습니다.

　셋째, 교재 전반에 생생한 한국 문화 내용을 배치하여 학습자들이 상호 문화적 관점에서 한국 문화를 이해하고, 궁극적으로는 자국의 문화와 한국 문화에 대한 바른 태도를 형성할 수 있도록 하였습니다.

　넷째, 교재와 함께 '익힘책', '교사용 지도서', '어휘·표현과 문법', 수업용 PPT와 같은 보조 자료들을 개발하여 교사·학습자의 요구에 맞게 교재를 활용할 수 있도록 하였습니다.

　이 교재를 기획하고 개발하는 모든 과정에 함께해 주신 국립국어원과 현지 학당과의 협조와 지원을 아끼지 않으신 세종학당재단, 그리고 학습자들이 재미있게 한국어를 배울 수 있도록 멋지게 디자인해 주신 공앤박출판사에 감사의 마음을 전하고 싶습니다. 끝으로 3년이라는 긴 시간 동안 오로지 한국어교육에 대한 열정으로 좋은 교재를 만들어 내기 위해 애써 주신 모든 집필진께 말로는 다할 수 없는 깊은 감사의 마음을 전합니다.

2022년 8월
저자 대표 이정희

차례

교재의 구성

단원	주제	단원명	기능
1	인물과 인상	뭐든지 적극적인 데다가 유머 감각도 있어요	묘사하기
2		처음 만났을 때는 얌전한 성격인 줄 알았거든	묘사하기
3	후회와 고민	사업을 시작할까 아니면 회사에 취직할까 고민이야	조언하기
4		그때 그 꿈을 포기하지 말았어야 했는데	표현하기
5	다름과 같음	40대는 청소년들에 비해서 결혼을 해야 한다는 응답이 많았습니다	설명하기
6		식당에서 직원을 어떻게 부르는지 알아요?	설명하기
7	기여하는 삶	저는 하늘길을 관리하는 일을 합니다	설명하기
8		삶에 대한 가르침을 줬다는 점에서 존경을 받습니다	소개하기
9	변화하는 사회	갈수록 현금을 사용하는 사람들이 줄어들고 있습니다	설명하기
10		저는 인터넷에서 실명을 써야 한다고 생각해요	표현하기
11	새로운 시작	10년 후엔 행복한 가정을 이루고 있지 않을까 싶어요	서술하기
12		벌써 졸업을 한다니! 믿기지가 않습니다	표현하기

어휘와 표현	문법		발음	활동
성격 1	-는/(으)ㄴ 데다가	-든지		자신과 가까운 사람의 성격 묘사하기 친구의 성격 묘사하기
성격 2	-는/(으)ㄴ/ (으)ㄹ 줄 알다	-던	억양 (-거든)	첫인상 묘사하기 첫인상과 나중의 모습이 달라 기억에 남는 사람 소개하는 글 쓰기
고민거리	-(으)ㄹ까 -(으)ㄹ까	-지 그래요?		친구의 고민 듣고 조언하기 게시판에 고민 쓰고, 다른 사람의 고민에 댓글 달기
후회되는 일	-았어야/었어야 했는데	-았을/었을 텐데	억양 (-았을/었을 텐데)	후회한 경험에 대한 글 읽기 가장 후회되는 일 쓰기
세대	에 비해서	-아야지/어야지		세대 차이를 느낀 경험 말하기 세대 차이를 느낀 경험 쓰기
한국 문화	-는지/(으)ㄴ지 알다, 모르다	-는다면서요?/ ㄴ다면서요?/ 다면서요?	경음화	문화 차이 설명하기 몸짓 언어를 비교하는 글 쓰기
업무	-는 데에	-다 보니		하고 있는 일이나 하고 싶은 일 말하기 주변 사람의 직업에 대해 인터뷰한 내용 쓰기
업적	-는다는/ㄴ다는/ 다는 점에서	-(으)ㄴ 결과	비음화	존경받는 인물에 대한 글 읽기 존경하는 인물 소개하는글 쓰기
변화	-(으)ㄹ수록	-(으)나		사회 변화 설명하기 그래프 해석하는 글 쓰기
찬성과 반대	-는다고/ㄴ다고/ 다고 생각하다	-는/(으)ㄴ 거 아닐까 하다	현실 발음 (한자어 경음화)	찬성·반대 의견 말하기 찬성·반대 댓글 달기
인생 계획	-지 않을까 싶다	-기보다는		인생 계획에 대한 글 읽기 인생 계획 말하기
심정과 소감	-는다니/ㄴ다니/ 다니	-기를 바라다	끊어 말하기	소감을 표현하는 방송 듣기 졸업 소감 발표하기

단원의 구성

도입

'도입'은 해당 단원의 주제와 관련이 있는 장면이나 한국의 문화 지식을 제시하고자 하였다. 또한 해당 단원에서 배울 내용에 대한 배경지식을 활성화하여 학습자들이 주제에 흥미를 가질 수 있도록 하였다.

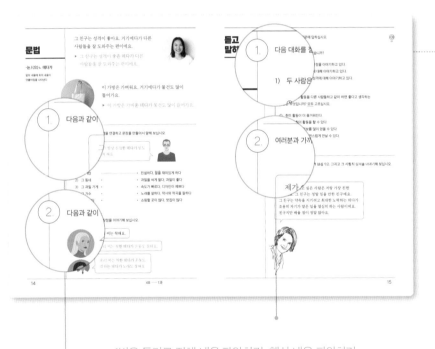

문법 · 듣고 말하기

'문법'은 해당 단원에서 배워야 하는 문법 항목을 선정하였다. 해당 문법 항목의 의미 설명을 해당 문법 아래에 두었다. 목표 문법 항목을 학습함으로써 좀 더 수준 높은 표현을 할 수 있음을 보여 주기 위해 두 가지의 예문을 함께 제시하였다.

'듣고 말하기'는 듣기, 말하기 기능에 초점을 두었다. 단원에 따라 듣기, 말하기 외의 다른 언어 기능으로 교체될 수 있다. '도입'에서부터 다룬 단원의 주제, '문법'에서 학습한 문법 항목을 가지고 언어 기능을 수행할 수 있도록 하였다.

1번은 듣기로 전체 내용 파악하기, 핵심 내용 파악하기, 세부 내용 파악하기 등 듣기 담화를 이해할 수 있도록 하는 활동 문제가 함께 제시되어 있다.

2번은 말하기로 단원의 주제와 관련되어 있는 소재에 대해 대화나 발표를 수행할 수 있도록 하였다.

1번은 단순하고 유도된 연습을 통해 해당 문법을 익히도록 하였다.

2번은 1번에서 익힌 연습의 확장 또는 유의적 연습이며 짝 활동, 모둠 활동 등으로 구성하였다.

대화 ········· 어휘와 표현

'대화'는 해당 단원의 주제로 구성된 실제적인 대화문 또는 담화를 제시하였다. '대화'의 앞부분에는 어떤 상황에서 대화가 진행되는지를 알 수 있도록 지시문을 두었다.

뒷부분에는 이해 확인 질문을 두어 대화문에 대한 전반적인 이해를 점검할 수 있게 하였다. 대화문 옆에는 '더 알아봐요'를 둠으로써, 보충적인 내용들을 교사와 함께 학습할 수 있도록 하였다. 또한 짝수 단원에서는 '발음'이 제시된다. '발음'은 대화문에서 제시된 표현 중 4단계 학습자가 언어 지식으로 익히는 데에 도움이 되는 항목을 선정하였으며, 목표 항목과 실제 발음, 발음의 원리를 제시하였고 연습할 수 있는 예문을 제시하였다. '대화'에 나오는 문법과 어휘는 '대화 속 문법'과 '어휘와 표현'에서 구체적으로 학습될 수 있도록 하였다.

'어휘와 표현'은 해당 단원에서 다루는 주제의 대표적인 어휘를 선정하되 덩어리 표현으로 제시하여 언어 사용에 초점을 두었다. '어휘와 표현'은 어휘 제시, 기계적 연습, 유의적 연습 또는 간단한 활동으로 구성되었다.

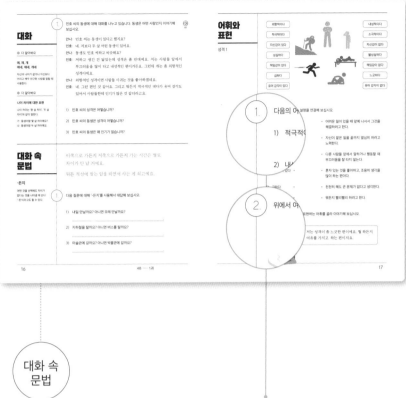

대화 속 문법

'대화 속 문법'은 대화문에서 나온 새로운 문법 중 학습할 만한 문법 항목을 선정하였다. 의미 설명은 해당 문법 항목 아래에 두었으며 단순하고 유도된 문법 연습을 통해 문법을 익히도록 하였다.

1번은 문장 완성하기 등의 활동을 통해 기본적인 의미를 익히도록, 2번은 1번에서 배운 것이 '자기 발화'로 나타나 내재화되도록 구성하였다.

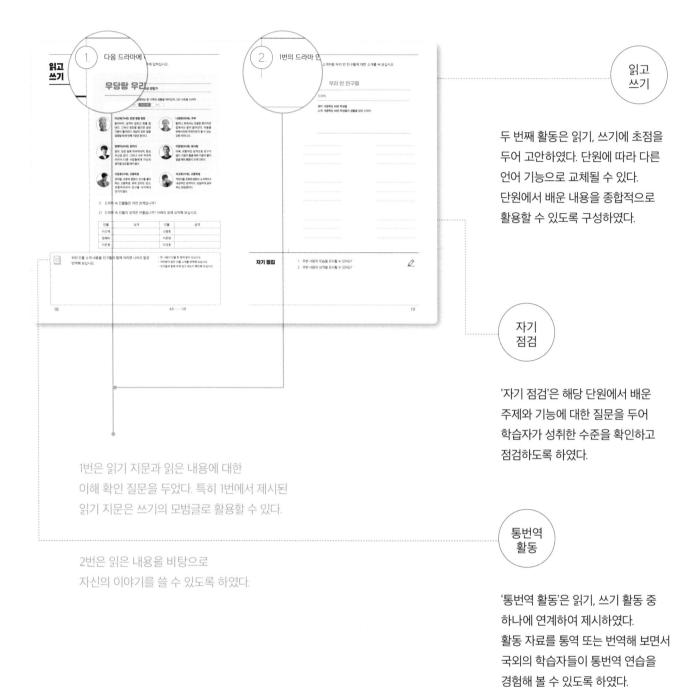

읽고
쓰기

두 번째 활동은 읽기, 쓰기에 초점을
두어 고안하였다. 단원에 따라 다른
언어 기능으로 교체될 수 있다.
단원에서 배운 내용을 종합적으로
활용할 수 있도록 구성하였다.

자기
점검

'자기 점검'은 해당 단원에서 배운
주제와 기능에 대한 질문을 두어
학습자가 성취한 수준을 확인하고
점검하도록 하였다.

1번은 읽기 지문과 읽은 내용에 대한
이해 확인 질문을 두었다. 특히 1번에서 제시된
읽기 지문은 쓰기의 모범글로 활용할 수 있다.

2번은 읽은 내용을 비탕으로
자신의 이야기를 쓸 수 있도록 하였다.

통번역
활동

'통번역 활동'은 읽기, 쓰기 활동 중
하나에 연계하여 제시하였다.
활동 자료를 통역 또는 번역해 보면서
국외의 학습자들이 통번역 연습을
경험해 볼 수 있도록 하였다.

등장인물 소개

안나
대학생.
한국 드라마와 케이팝을 좋아함.
활발하고 적극적인 성격임.

유진
대학생.
영화 감상과 테니스 등
다양한 활동을 즐김.

마리
회사원.
재민의 회사 동료임.
등산과 케이팝을 좋아함.

수지
대학생.
외국에서 유학 중임.
취미는 사진 촬영임.

재민
회사원.
주재원으로 국외 근무 중임.
산책과 캠핑을 즐김.

주노
회사원.
한국에서 유학을 했음.
독서와 여행을 즐김.

1

뭐든지
적극적인 데다가
유머 감각도 있어요

인물을 묘사할 수 있다.

어휘와 표현

성격 1

문법

-는/(으)ㄴ 데다가,
-든지

S | 4B

1

❶ 여러분은 어떤 사람입니까? 자신의 이야기라고 생각하는 것을
표시하고 친구들과 비교해 보십시오.

☐ 무언가를 할 때 사람들과 함께 하는 것을 좋아합니다.

☐ 무언가를 할 때 혼자 하는 것을 좋아합니다.

☐ 사람들과 약속한 것을 어떤 경우에도 꼭 지켜야 한다고 생각합니다.

☐ 남들에게 피해가 안 된다면 약속을 꼭 지키지 않아도 된다고 생각합니다.

☐ 사람들과 있을 때 재미있는 분위기를 만드는 편입니다.

☐ 사람들과 있을 때 앞에 나서는 편입니다.

☐ 사람들과 있을 때 뒤에서 조용히 있는 편입니다.

☐ 일은 미루지 않고 바로바로 합니다.

☐ 일을 최대한 미루는 편입니다.

❷ 한국에서 다음의 동물이 어떤 성격을 상징할지 생각해 보고
연결해 보십시오. 그리고 여러분 나라와 비교해 보십시오.

· · · ·

· · · ·

똑똑하고
행동이 빠르다

조용하게
일을 열심히 한다

무섭고
엄격하다

행동이 느리고
답답하다

문법

-는/(으)ㄴ 데다가

앞의 내용에 뒤의 내용이
덧붙여짐을 나타낸다.

그 친구는 성격이 좋아요. 거기에다가 다른
사람들을 잘 도와주는 편이에요.

▶ 그 친구는 성격이 좋은 데다가 다른
사람들을 잘 도와주는 편이에요.

이 가방은 가벼워요. 거기에다가 물건도 많이
들어가요.

▶ 이 가방은 가벼운 데다가 물건도 많이 들어가요.

---

1. 다음과 같이 알맞은 말을 연결하고 문장을 만들어서 말해 보십시오.

그 사람은 항상 친절한 데다가 말도
재미있게 해요.

1) 그 사람 •···• 친절하다, 말을 재미있게 하다
2) 그 동네 • • 과일을 싸게 팔다, 과일이 좋다
3) 그 과일 가게 • • 속도가 빠르다, 디자인이 예쁘다
4) 그 가수 • • 노래를 잘하다, 작사와 작곡을 잘하다
5) 그 컴퓨터 • • 쇼핑할 곳이 많다, 맛집이 많다

---

2. 다음과 같이 친구의 장점을 이야기해 보십시오.

유리 씨는 착해요.

유리 씨는 착한 데다가 운동도 잘해요.

유리 씨는 착한 데다가 운동도
잘하는 데다가 노래도 잘해요.

01

(1.) 다음 대화를 잘 듣고 질문에 답하십시오.

1) 두 사람은 무엇을 하고 있습니까?

① 자기 성격의 장점과 단점을 이야기하고 있다.
② 자주 하는 취미 활동에 대해 이야기하고 있다.
③ 질문지에 답을 하며 성격에 대해 이야기하고 있다.

2) 해리 씨가 취미 활동을 다른 사람들하고 같이 하면 좋다고 생각하는
이유는 무엇입니까? 모두 고르십시오.

① 취미 활동이 더 즐거워진다.
② 편하게 취미 활동을 할 수 있다.
③ 취미에 대한 정보를 많이 얻을 수 있다.
④ 좋은 사람들을 자연스럽게 만날 수 있다.

(2.) 여러분과 가까운 사람을 떠올려 보십시오. 그리고 그 사람의 성격을 이야기해 보십시오.

제가 이야기하고 싶은 사람은 저랑 가장 친한
친구예요. 그 친구는 정말 믿을 만한 친구예요.
그 친구는 약속을 지키려고 최대한 노력하는 데다가
조용히 자기가 맡은 일을 열심히 하는 사람이에요.
친구지만 배울 점이 정말 많아요.

대화

⊕ 더 알아봐요

애, 쟤, 걔
애네, 쟤네, 걔네

자신과 나이가 같거나 자신보다 어리고 매우 친근한 사람을 말할 때 사용한다.

⊕ 더 알아봐요

나이 차이에 대한 표현

나이 차이는 '한 살 차이', '두 살 차이'와 같이 말한다.

가: 동생이랑 몇 살 차이예요?
나: 동생이랑 두 살 차이예요.

1. 민호 씨의 동생에 대해 대화를 나누고 있습니다. 동생은 어떤 사람인지 이야기해 보십시오.

안나: 민호 씨는 동생이 있다고 했지요?

민호: 네. 저보다 두 살 어린 동생이 있어요.

안나: 동생도 민호 씨하고 비슷해요?

민호: 저하고 생긴 건 닮았는데 성격은 좀 반대예요. 저는 사람들 앞에서 부끄러움을 많이 타고 내성적인 편이거든요. 그런데 걔는 좀 외향적인 성격이에요.

안나: 외향적인 성격이면 사람들 사귀는 것을 좋아하겠네요.

민호: 네. 그런 편인 것 같아요. 그리고 뭐든지 적극적인 데다가 유머 감각도 있어서 사람들한테 인기가 많은 것 같더라고요.

1) 민호 씨의 성격은 어떻습니까?

2) 민호 씨의 동생은 성격이 어떻습니까?

3) 민호 씨의 동생은 왜 인기가 많습니까?

대화 속 문법

-든지

어떤 것을 선택해도 차이가 없다는 것을 나타낼 때 쓴다. '-든'이라고도 할 수 있다.

이쪽으로 가든지 저쪽으로 가든지 가는 시간은 별로 차이가 안 날 거예요.

뭐든 적성에 맞는 일을 하면서 사는 게 최고예요.

1. 다음 질문에 대해 '-든지'를 사용해서 대답해 보십시오.

1) 내일 만날까요? 아니면 모레 만날까요?

   ....

2) 지하철을 탈까요? 아니면 버스를 탈까요?

   ....

3) 미술관에 갈까요? 아니면 박물관에 갈까요?

   ....

어휘와 표현

성격 1

외향적이다	내성적이다
적극적이다	소극적이다
자신감이 있다	자신감이 없다
성실하다	불성실하다
책임감이 있다	책임감이 없다
급하다	느긋하다
유머 감각이 있다	유머 감각이 없다

1. 다음의 어휘와 그에 맞는 설명을 연결해 보십시오.

1) 적극적이다 ·
2) 내성적이다 ·
3) 자신감이 있다 ·
4) 책임감이 있다 ·
5) 급하다 ·
6) 느긋하다 ·

· 어려운 일이 있을 때 앞에 나서서 그것을 해결하려고 한다.

· 자신이 맡은 일을 끝까지 열심히 하려고 노력한다.

· 다른 사람들 앞에서 말하거나 행동할 때 부끄러움을 잘 타지 않는다.

· 혼자 있는 것을 좋아하고, 조용히 생각을 많이 하는 편이다.

· 천천히 해도 큰 문제가 없다고 생각한다.

· 뭐든지 빨리빨리 하려고 한다.

2. 위에서 여러분의 성격을 잘 표현하는 어휘를 골라 이야기해 보십시오.

저는 성격이 좀 느긋한 편이에요. 뭘 하든지 여유를 가지고 하는 편이지요.

읽고 쓰기

1. 다음 드라마에 대한 정보를 읽고 질문에 답하십시오.

우당탕 우리 집

드라마 ㅣ 15세 이상 관람가

편성: MBS
소개: 3대가 함께하는 한 가족의 생활을 재미있게 그린 시트콤 드라마

[기본 정보] [등장인물] [회차]

이신재(70세), 한방 병원 원장

할아버지. 성격이 급하고 화를 잘 낸다. 그러나 칭찬을 들으면 금방 기분이 좋아진다. 세상의 모든 일을 결정할 때 첫 번째 기준은 돈이다.

나영희(68세), 주부

할머니. 밖에서는 조용한 편이지만 집에서는 말이 많아진다. 아들을 위해서라면 무엇이든지 할 수 있는 강한 어머니다.

정해미(45세), 한의사

엄마. 모든 일에 적극적이며, 항상 자신감 있다. 그러나 너무 적극적이라서 다른 사람들에게 자신의 생각을 강요할 때가 많다.

이준영(43세), 회사원

아빠. 외향적인 성격으로 친구가 많다. 기분이 좋을 때와 기분이 좋지 않을 때의 행동이 크게 다르다.

이은호(17세), 고등학생

큰아들. 규호와 쌍둥이. 친구를 좋아하는 고등학생. 유머 감각도 있고, 외향적이라서 친구들 사이에서 인기가 많다.

이규호(17세), 고등학생

작은아들. 은호와 쌍둥이. 소극적이고 내성적인 성격이다. 성실하게 공부하는 모범생이다.

1) 드라마 속 인물들은 어떤 관계입니까?

2) 드라마 속 인물의 성격은 어떻습니까? 아레의 표에 요약해 보십시오.

인물	성격	인물	성격
이신재		나영희	
정해미		이준영	
이은호		이규호	

위의 인물 소개 내용을 친구들과 함께 여러분 나라의 말로 번역해 보십시오.

- 한 사람이 인물 한 명씩 맡아 보십시오.
- 여러분이 맡은 인물 소개를 번역해 보십시오.
- 친구들과 함께 바꿔 읽고 맞는지 확인해 보십시오.

2. 1번의 드라마 인물 소개처럼 우리 반 친구들에 대한 소개를 써 보십시오.

우리 반 친구들

드라마

제작: 세종학당 4B반 학생들
소개: 세종학당 4B반 학생들의 생활을 담은 드라마

자기 점검

1. 주변 사람의 모습을 묘사할 수 있어요?
2. 주변 사람의 성격을 묘사할 수 있어요?

2 처음 만났을 때는 얌전한 성격인 줄 알았거든

첫인상을
묘사할 수 있다.

어휘와 표현

성격 2

문법

-는/(으)ㄴ/(으)ㄹ 줄 알다,
-던

2

❶ 다음 사람들의 첫인상이 어떻습니까?

❷ 한국에는 혈액형이 성격과 관련이 있다고 생각하는 사람들이 많습니다. 여러분 나라에도 성격과 관련 있다고 생각하는 것이 있습니까?

A형
꼼꼼하고 내성적인 성격

AB형
남의 말에 신경 쓰지 않는 성격

B형
사람들을 잘 사귀고 자유로운 성격

O형
밝고 열정적인 성격

문법

-는/(으)ㄴ/(으)ㄹ 줄 알다

앞 내용을 예상 또는 기대했지만 실제로 그렇지 않을 때 사용한다.

그 사람이 외향적일 거라고 생각했어요.
그런데 그렇지 않아요.

▶ 그 사람이 외향적인 줄 알았어요.

밖에 비가 온다고 생각했어요. 그런데 비가 안 와요.

▶ 밖에 비가 오는 줄 알았어요.

---

1. 다음과 같이 문장을 만들어서 말해 보십시오.

주노 씨가 시험에 합격할 거라고 생각했어요. 그런데 시험에 떨어졌어요.

→ 주노 씨가 시험에 합격할 줄 알았어요.

1) 도서관이 문을 닫았을 거라고 생각했어요. 그런데 닫지 않았어요.

2) 선생님이 한국 사람이라고 생각했어요. 그런데 한국 사람이 아니었어요.

3) 숙제가 있다고 생각했어요. 그런데 숙제가 없었어요.

4) 오늘 날씨가 따뜻할 거라고 생각했어요. 그런데 추워요.

5) 비빔밥이 맛없을 거라고 생각했어요. 그런데 맛있었어요.

⊕ 더 알아봐요

'-는/(으)ㄴ/(으)ㄹ 줄 모르다'

'-는/(으)ㄴ/(으)ㄹ 줄 모르다'는 '-는/(으)ㄴ/(으)ㄹ 줄 알다'와 달리 예상이나 기대를 하지 않았지만 실제로는 그러함을 나타낸다.

○ 걔가 그렇게 키가 큰 줄 몰랐어요.
○ 내일 시험이 있는 줄 몰랐어요.

2. 다음과 같이 그림을 표현해 보십시오.

자동차가 비쌀 줄 알았는데 싸네요.

1,000만 원

1) 농구를 못 함 ≠

2) 결혼하지 않음 ≠

듣고 말하기

1. 다음 대화를 잘 듣고 질문에 답하십시오.

1) 진 씨가 소개팅에서 만난 사람의 첫인상은 어땠습니까?

①　　②　　③

2) 들은 내용과 같으면 ○, 다르면 × 표시를 하십시오.

① 안나는 진에게 친구를 소개해 주기로 했다. 　(　)

② 진은 소개팅에서 만난 사람과 대화가 잘 통했다. (　)

2. 여러분은 반 친구들을 처음 봤을 때 어떤 생각을 했습니까? 다음과 같이 생각한 것을 이야기해 보십시오.

안나 씨는 조용한 사람인 줄 알았어요.

대화

⊕ 더 알아봐요

'네'와 '내'

'네'와 '내'는 발음을 구별하기 쉽지 않다. 그래서 '네'는 [니]라고 발음하는 경우가 많다.

(1.) 안나의 성격에 대해 이야기하고 있습니다. 안나는 어떤 사람인지 이야기해 보십시오.

남자: 안나, 이번에 케이팝(K-POP) 댄스 대회에 나간다면서? 춤을 언제부터 배웠어?

안나: 춤을 따로 배우지는 않았어. 그냥 내가 춤추는 걸 좋아해서 어렸을 때부터 좋아하는 가수의 춤 영상을 따라 하면서 연습했지.

남자: 그래? 대단하네. 사실 안나 네 성격이 내가 생각하던 것하고 많이 달라서 놀랐어. 처음에 널 만났을 때는 말이 없고 얌전한 성격인 줄 알았거든.

안나: 그렇구나. 내가 첫인상하고 많이 다르다고 얘기하는 사람들이 많더라고. 사실 나는 아주 활발하고 사교적인데 첫인상은 그 반대라고 생각하는 사람이 많아.

1) 남자에게 안나 씨의 첫인상은 어땠습니까?

2) 안나 씨의 실제 성격은 어떻습니까?

3) 안나 씨는 어떻게 춤을 연습합니까?

대화 속 문법

초등학교 때 친하게 지내던 친구가 보고 싶어요. 제가 살던 곳은 바닷가의 작은 시골 마을이에요.

-던

말하는 사람이 회상하는 과거의 상황으로 뒤의 대상을 수식할 때 쓴다.

(1.) 다음 문장을 '-던'을 사용하여 완성해서 말해 보십시오.

1) 저 책상은 내가 어렸을 때 .... 책상이다. (사용하다)

2) 우리 가족이 고향을 .... 날 눈이 많이 내렸어요. (떠나다)

3) 이 음료수는 한국에 처음 왔을 때 자주 .... 거예요. (마시다)

| 발음 🔊 | 내성적인 줄 알았거든.↘ | 이유를 표현하는 '-거든'은 끝을 내려서 말한다. 하지만 어떤 사실을 설명하면서 뒤에 이야기가 이어짐을 나타낼 때는 끝을 올려서 말한다. | ▷ 다음을 읽어 볼까요?
• 생각보다 키가 작아서 놀랐어. 사진만 봤을 때는 키가 큰 줄 **알았거든.**↘
• 빈자리가 나서 얼른 **앉았거든요.**↗ 근데 할아버지가 오셔서…. |

어휘와 표현

성격 2

밝다　어둡다　얌전하다

날카롭다　부드럽다　낯을 가리다

차갑다　고집이 세다　자신감이 넘치다　사교적이다

1. 알맞은 말을 골라 문장을 완성해서 말해 보십시오.

1) 그는 _____ 첫인상 때문에 사람들에게 무뚝뚝한 사람처럼 보인다.

2) 그녀는 _____ 사람이라서 새로운 사람을 만나는 것을 좋아한다.

3) 그녀의 _____ 표정을 보고 안 좋은 일이 생겼다는 것을 알 수 있었다.

4) 그는 항상 _____ 않고 만나는 모든 사람들에게 반갑게 인사했다.

5) 그는 자기주장이 강하고 _____ 사람이라서 부모님과 갈등이 심하다.

2. 위에서 배운 어휘를 사용해서 첫인상과 지금이 가장 다른 친구를 이야기해 보십시오.

> 수진 씨는 처음 봤을 때 낯을 많이 가려서 좀 차가운 성격인 줄 알았어요. 그런데 알고 보니 생각하던 것과 많이 달라요. 같이 공부해 보니까 마음이 정말 따뜻하더라고요.

1. 다음 글을 읽고 질문에 답하십시오.

처음 한국에서 공부할 때에는 기숙사에서 살았다. 하지만 방이 작고, 친구와 함께 생활하는 것이 불편해서 한 학기 뒤에 학교 앞 원룸으로 이사를 하게 되었다. 처음 원룸으로 이사를 가던 날 주인아주머니께 인사를 드렸다. 주인아주머니는 잘 웃지도 않고 무뚝뚝하셔서 나는 주인아주머니가 아주 차가운 분인 줄 알았다.

그러던 어느 날 나는 심한 감기에 걸려서 학교에 가지 못하고 있었다. 너무 아팠지만 약을 사러 가야 할 것 같아서 밖에 나가다가 주인아주머니를 우연히 만났다. 주인아주머니는 아픈 내 얼굴을 보고 깜짝 놀라면서 약을 사다 줄 테니 집에 들어가서 쉬고 있으라고 하셨다. 주인아주머니는

약국에서 약도 사다 주고, 죽도 끓여서 가져다 주셨다. 나는 그때서야 주인아주머니가 따뜻한 분이라는 것을 알게 되었다. 그 이후로 나는 주인아주머니와 친해지게 되었다. 첫인상은 차가웠지만 알고 보면 정말 따뜻한 분이셨던 주인 아주머니, 지금도 그분이 보고 싶다.

1) 주인아주머니의 첫인상은 어땠습니까?

2) 윗글의 내용과 같은 것은 무엇입니까?

① 나는 원룸에서 살다가 기숙사로 이사했다.
② 주인아주머니는 내가 아플 때 나를 도와주었다.
③ 나는 주인아주머니와 처음에 사이가 좋지 않았다.
④ 나는 심한 감기에 걸려서 약을 사러 밖으로 나가지 못했다.

윗글을 여러분 나라 말로 번역해 보십시오.

- 친구와 모둠을 만들어 보십시오.
- 한 문장씩 돌아가면서 번역해 보십시오.
- 친구가 번역한 내용이 맞는지 확인해 보십시오.

2. 첫인상과 나중의 모습이 다른 사람을 만난 적이 있습니까? 첫인상과 나중의 모습이 달라 기억에 남는 사람을 소개하는 글을 써 보십시오.

....

....

....

....

....

....

....

....

....

....

....

자기 점검

1. 인상과 성격에 대해 말할 수 있어요?
2. 첫인상을 묘사할 수 있어요?

3

사업을 시작할까 아니면 회사에 취직할까 고민이야

고민을 말하고
조언할 수 있다.

어휘와 표현
고민거리

문법
-(으)ㄹ까 -(으)ㄹ까,
-지 그래요?

S 4B
3

❶ 여러분은 무슨 고민이 있습니까?

· 돈에 대한 고민 · 사랑/결혼에 대한 고민 · 성적에 대한 고민 · 취직에 대한 고민
· 사람들과의 관계에 대한 고민 · 건강에 대한 고민

❷ 한국의 대학생들은 무엇에 대해 고민할 것 같습니까?
여러분 나라의 젊은이들은 주로 어떤 고민을 합니까?

대학 생활 고민

(조사 대상: 한국의 대학생 2만 1,780명)

졸업 후 진로	60.0%
학업	25.2%
경제적 어려움	9.5%
대학 생활 적응	4.2%
기타 (군대, 통학, 연애 등)	1.1%

문법

-(으)ㄹ까 -(으)ㄹ까

판단을 확신하지 못하거나
행동을 결정하지 못하여
망설임을 나타낼 때 쓴다.

이렇게 하는 게 좋아요? 저렇게 하는 게
좋아요? 정말 모르겠어요.

▶ 이렇게 하는 게 좋을까 저렇게 하는 게
좋을까 정말 모르겠어요.

그 친구에게 사실대로 얘기해야 해?
아니면 말아야 해? 고민을 많이 했어요.

▶ 그 친구에게 사실대로 얘기할까 말까
고민을 많이 했어요.

1. 다음과 같이 알맞은 말을 연결하고 문장을 만들어서 말해 보십시오.

주말에 집에서 쉴까 친구를 만날까 아직 결정 못 했어요.

⊕ 더 알아봐요

-(으)ㄹ까 말까

어떤 일을 하거나 하지 않는
것 중에서 결정하지 못하여
망설임을 나타낼 때에는
'-(으)ㄹ까 말까'라고 표현할 수
있다.

○ 회사를 옮길까 말까 아직
   결정을 못 했어요.
○ 간식을 먹을까 말까
   고민하다가 그냥 참았어요.

1) 주말에 집에서 쉬어? •——————————————• 친구를 만나?

2) 치킨을 먹어? •   • 이제 그만 만나?

3) 버스를 타? •   • 저 옷을 입어?

4) 이 옷을 입어? •   • 피자를 먹어?

5) 그 사람을 계속 만나? •   • 택시를 타?

2. 여러분이 일상생활에서 하는 고민을 이야기해 보십시오.

세수를 먼저 할까
양치질을 먼저 할까?

오늘 운동을 할까 말까?

듣고
말하기

1. 다음 대화를 잘 듣고 질문에 답하십시오.

1) 해리 씨는 무슨 고민이 있습니까?

2) 안나 씨는 어떤 조언을 했습니까?

3) 들은 내용과 같으면 ○, 다르면 × 표시를 하십시오.

① 해리는 요즘 회사에서 스트레스를 많이 받는다. ( )
② 안나는 요즘 밤에 잠을 잘 못 자고 있다. ( )

2. 친구의 고민을 듣고 조언을 해 보십시오.

⊕ 더 알아봐요

고민을 하는 친구에게 다음과 같이 물어볼 수 있다.

○ 요즘 무슨 일 있어요?
○ 혹시 무슨 고민 있어요?

회사에 합격했는데 그 회사가 다른 도시에 있어요. 그 회사에 갈까 말까 고민이에요.

새로운 도시에 가서 살아 보는 것도 좋을 것 같아요. 좋은 회사라면 도전해 보는 게 어때요?

이름		
친구의 고민		
나의 조언		

대화

⊕ 더 알아봐요

권유할 때 사용하는 표현

o ~ 해 보세요
o ~ 해 보지 그래요?
o ~ 해 보는 게 어때요?
o ~ 하면 어때요?
o ~ 해 보면 좋겠어요
o ~ 해 보는 게 좋겠어요

⊕ 더 알아봐요

고민하는 사람에게 해 주면 좋은 말

o 시간이 약이다
o 시작이 반이다
o 내일은 내일의 해가 뜬다

02

1. 고민을 상담하는 대화 내용입니다. 무엇에 대한 고민인지 이야기해 보십시오.

마리: 이제 곧 대학 졸업하지? 졸업 후에는 뭘 할 거야?

유진: 음. 아직 잘 모르겠어. 사실 내가 그것 때문에 고민이 좀 많아.

마리: 아직 졸업 후 진로를 결정하지 못했나 보구나.

유진: 응. 작은 사업을 시작해 볼까 아니면 회사에 취직할까 고민 중이야. 사업을 하기에는 아직 경험이 너무 없는 것 같고 그래서 그냥 취직을 할까 하는데 이게 맞는 건지…. 어떻게 하는 게 좋을까?

마리: 일단 회사 다니면서 사업에 대해서는 천천히 생각해 보지 그래? 나도 졸업할 때쯤에 너하고 비슷한 고민을 했었거든. 결국은 지금처럼 회사에 취직하는 것으로 결정을 했어. 회사에서 여러 경험을 해 보는 것이 나중에 사업을 할 때 더 도움이 될 것 같더라고.

1) 유진의 고민은 무엇입니까?

2) 마리는 유진에게 어떤 조언을 하고 있습니까?

대화 속 문법

-지 그래요?

상대방에게 앞에 나오는 행동을 권유할 때 쓴다.

적성 검사를 한번 해 보지 그래요?
자기 전에 따뜻한 우유를 좀 마셔 보지 그래요?

1. 다음과 같은 고민을 하는 사람에게 '-지 그래요?'를 사용해서 권유나 조언을 해 주십시오.

1) 그 사람을 계속 만날까 이제 그만 헤어질까 고민이에요.

→ .... ?

2) 회사를 옮길까 말까 고민이에요.

→ .... ?

3) 숙제를 하고 놀까 놀고 나서 숙제를 할까 고민이에요.

→ .... ?

4) ....

→ .... ?

어휘와 표현

고민거리

| 진로를 정하지 못하다 | 직장 생활이 맞지 않다 | 업무량이 너무 많다 |

| 인간관계가 어렵다 | 미래가 불안하다 |

| 경제적인 상황이 좋지 않다 | 실력이 늘지 않다 | 연애를 하고 싶다 |

1. 알맞은 말을 골라 문장을 완성해서 말해 보십시오.

   1) 한국어 공부를 열심히는 하는데 ....
      고민이에요. 어떻게 하면 빨리 좋아질까요?

   2) 요즘에 회사에서 .... 힘들어요.
      일이 끝이 없어요.

   3) .... 그런데 어떻게 하면 자연스럽게 만날 수
      있을까요?

   4) 저는 아직 졸업 후 ....

   5) 회사에서 .... 회사 사람들하고 잘 맞지
      않는 것 같아요.

   6) 저는 앞으로 어떻게 살아야 할까요? 이유 없이 ....

2. 위에서 배운 어휘를 사용해 여러분의 고민을 이야기해 보십시오.

   한국어 실력이 늘지 않는 것 같아요.
   어떻게 하면 실력이 늘 수 있을까요?

   너무 고민하지 마세요. 지금도 잘하고
   있어요. 그래도 실력을 더 늘리려면 한국
   어로 된 영상을 많이 보지 그래요?

읽고 쓰기

다음 글을 읽고 질문에 답하십시오.

[우리 동네 대나무숲]

11월 19일 오후 4:52

운동을 좀 하려고 하는데, 피트니스 클럽에 다닐까 아니면 집에서 혼자 운동을 할까 고민이 됩니다. 피트니스 클럽 회원권을 끊으려고 하니 회비가 꽤 비싸더라고요. 그렇다고 집에서 혼자 하면 운동이 잘 될까 하는 생각이 들어요. 여러분은 어떻게 하시나요?

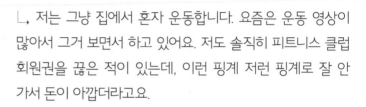

└ 저는 그냥 집에서 혼자 운동합니다. 요즘은 운동 영상이 많아서 그거 보면서 하고 있어요. 저도 솔직히 피트니스 클럽 회원권을 끊은 적이 있는데, 이런 핑계 저런 핑계로 잘 안 가서 돈이 아깝더라고요.

└ 피트니스 클럽을 다니는 게 낫습니다. 운동도 전문적인 사람한테 배워야 해요. 혼자서 하다가 다칠 수도 있고, 무엇보다 혼자서는 꾸준히 하기가 쉽지 않을 겁니다.

1) 글을 올린 사람의 고민은 무엇입니까?

2) 고민 글을 쓴 사람에게 사람들은 어떤 조언을 해 주고 있습니까?

• 첫 번째 조언:

• 두 번째 조언:

 위의 고민을 여러분 나라 말로 번역해 보십시오.

• 고민 글과 댓글 중 하나를 선택해 보십시오.
• 선택한 글을 번역해 보십시오.

2. 여러분도 '우리 동네 대나무숲'과 같은 게시판에 올리고 싶은 고민이 있습니까? 고민을 올리고 다른 사람의 글에 댓글을 달아 주세요.

1) 여러분의 고민을 게시판에 써 보십시오.

2) 다른 사람의 고민을 읽어 보고 댓글을 달아 보십시오.

3) 가장 좋은 조언을 해 준 댓글을 선정해 보십시오.

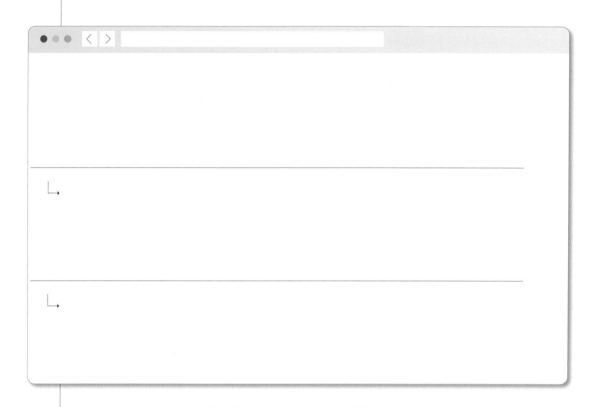

자기 점검

1. 자신의 고민거리를 말할 수 있어요?
2. 다른 사람의 고민을 듣고 조언할 수 있어요?

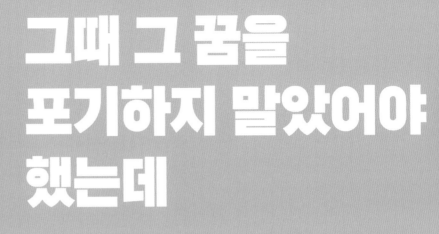

4 그때 그 꿈을 포기하지 말았어야 했는데

후회되는 일을
말할 수 있다.

어휘와 표현
후회되는 일

문법
-았어야 / 었어야 했는데,
-았을 / 었을 텐데

공부를 열심히 안 한 것 • 안 해야 할 말을 한 것
• 돈을 아껴 쓰지 않은 것 • 용기를 내서 고백하지 못한 것

❶ 다음의 사람들은 어떤 후회를 하고 있습니까? 여러분은 어떤
후회를 했습니까?

❷ 다음은 한국 사람들이 후회하는 일에 대한 조사 결과입니다.
여러분 나라 사람들은 어떤 일을 많이 후회합니까?

내 인생에서 후회되는 일

10~20대
1위. 공부를 열심히 하지 않은 것
2위. 부모님 말씀을 잘 듣지 않은 것
3위. 친구와 싸운 것

30~40대
1위. 공부를 열심히 하지 않은 것
2위. 돈을 열심히 모으지 않은 것
3위. 여행을 많이 하지 않은 것

50~60대
1위. 돈을 열심히 모으지 않은 것
2위. 자녀 교육에 더 신경 쓰지 못한 것
3위. 건강을 돌보지 않은 것

문법

솔직하게 얘기했으면 더 좋았을 거예요.
그런데 그러지 못했어요.

▶ 솔직하게 얘기했어야 했는데 그러지 못했어요.

-았어야/었어야 했는데

과거에 앞에 나오는 일을 했으면 좋았을 거라고 생각하면서 후회나 아쉬움을 나타낼 때 쓴다.

화를 내지 않았으면 더 좋았을 것 같아요. 후회가 돼요.

▶ 화를 내지 말았어야 했는데 후회가 돼요.

---

1. 다음과 같이 문장을 만들어서 말해 보십시오.

집에서 서둘러 나왔어야 했는데 늦게 나와서 버스를 놓쳤어요.

⊕ 더 알아봐요

'-았어야/었어야 했는데'의 사용

뒤에 말줄임표를 붙여서 문장을 끝낼 때도 사용한다.

○ 전공 선택을 좀 더 신중하게 했어야 했는데….
○ 그때 그걸 샀어야 했는데….

	내가 했어야 하는 행동	내가 후회하는 행동	결과
1)	집에서 서둘러 나오다	집에서 늦게 나오다	버스를 놓치다
2)	천천히 운전하다	과속을 하다	교통사고가 나다
3)	일찍 일어나다	늦잠을 자다	약속 시간에 늦다
4)	조심하다	계단에서 넘어지다	다리를 다치다
5)	우유를 냉장고에 넣다	밖에 두다	우유가 상하다

---

2. 다음 상황에서 어떤 후회를 할 것 같은지 이야기해 보십시오.

상한 음식을 잘못 먹어서 배탈이 났어요. 먹기 전에 음식의 상태를 잘 살펴봤어야 했는데….

1) 상한 음식을 잘못 먹어서 배탈이 나다
2) 시험에 떨어지다
3) 전공을 잘못 선택하다
4) 말실수를 해서 친구가 화가 나다
5) 회사에 지각하다

듣고 읽기

1. 다음 대화를 잘 듣고 질문에 답하십시오. 01

   1) 두 사람은 무엇을 후회하고 있습니까?

   2) 안나가 생각하는 독서의 장점은 무엇입니까?

   ① 어휘력이 더 풍부해진다.

   ② 시험을 볼 때 도움이 된다.

   ③ 아이들의 교육에 도움이 된다.

   ④ 지식과 경험을 쌓을 수 있다.

2. 다음 글을 읽고 질문에 답하십시오.

> 후회 > **이름을 바꾸고 2년….**

 지우   12.30. 18:26   조회 130

어렸을 때부터 나는 내 이름이 너무 평범해서 마음에 들지 않았다. 그래서 특별한 이름을 갖고 싶다는 생각을 자주 했다. 대학교에 입학하기 전, 나는 부모님께 이름을 바꾸고 싶다고 말씀드렸다. 부모님은 안 된다며 반대하셨다.

그런데 내가 계속 졸라서 결국 이름을 바꿨다. 처음에는 새로운 이름이 생겨서 너무 좋았다. 그런데 생활하다 보니 불편한 점이 한두 가지가 아니었다. 우선 신분증이나 통장처럼 바꿔야 할 것들이 많았다. 오랜만에 만난 사람에게 이름을 바꾼 이유를 계속 설명해야 하는 것도 귀찮았다. 예전 이름이 더 낫다고 말하는 사람도 있었다. 가족이나 친구들은 새 이름이 어색하다며 자꾸 옛날 이름을 불렀다. 그래서 2년이 지났지만 아직도 새 이름에 잘 적응하지 못하고 있다. 요즘은 이름을 바꾼 것이 좀 후회가 된다. 이름을 바꾸는 게 그렇게 간단한 일이 아니었다. 더 신중하게 생각했어야 했는데 그러지 못한 것 같아서 아쉽다.

   1) 지우 씨는 무엇을 후회하고 있습니까?

   2) 글의 내용과 <u>다른</u> 것은 무엇입니까?

   ① 지우 씨는 신분증과 통장을 바꿨습니다.

   ② 지우 씨는 2년 전에 이름을 바꿨습니다.

   ③ 부모님은 처음에 이름을 바꾸는 것을 반대했습니다.

   ④ 가족이나 친구들은 바꾼 이름에 금방 익숙해졌습니다.

대화

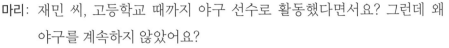

마리 씨와 재민 씨가 대화를 나누고 있습니다. 무엇에 대한 대화인지 이야기해 보십시오.

마리: 재민 씨, 고등학교 때까지 야구 선수로 활동했다면서요? 그런데 왜 야구를 계속하지 않았어요?

재민: 운동하다가 어깨를 다쳤는데 재활 훈련이 너무 힘들더라고요. 그래서 그냥 포기했어요.

마리: 그랬군요. 계속 했으면 좋은 선수가 되었을 텐데.

재민: 네. 요즘도 야구 선수로 활약하는 친구들을 보면 부러워요. 그때 꿈을 포기하지 말았어야 했는데 너무 쉽게 포기했나 봐요.

마리: 야구 선수가 되는 것은 포기했지만 취미로 야구를 계속 해 보고 싶은 마음은 없어요?

재민: 안 그래도 요즘 그럴까 생각 중이에요. 어렸을 때는 연습하는 게 힘들어서 야구가 별로 즐겁지 않았는데 요즘에는 다시 하고 싶더라고요.

1) 재민 씨는 왜 야구를 그만뒀습니까?

2) 재민 씨는 야구를 그만둔 것에 대해 어떻게 생각합니까?

3) 재민 씨는 요즘 야구에 대해 어떤 생각을 하고 있습니까?

⊕ 더 알아봐요

일이 잘못된 뒤에 후회해도 소용 없음을 나타내는 속담

○ 소 잃고 외양간 고친다.
○ 이미 엎질러진 물이다.

대화 속 문법

-았을/었을 텐데

만약 과거가 달랐다면 앞에 나오는 내용의 일이 일어나거나 그런 상황이 되었을 것이라고 생각하면서 후회나 아쉬움을 나타낼 때 쓴다.

서둘렀으면 기차를 탈 수 있었을 텐데.
라면에 달걀을 넣었으면 더 맛있었을 텐데.

다음 상황에 대해 '-았을/었을 텐데'를 사용해서 표현해 보십시오.

1) 늦게 갔더니 은행이 문을 닫았다. 조금 일찍 왔으면 은행에서 볼일을 볼 수 있었을 것이다.
   → _____:

2) 밖에서 시끄러운 소리가 들려서 잠을 잘 못 잤다. 밖이 조용했으면 잠을 잘 잤을 것이다.
   → _____:

3) 버스가 늦게 와서 지각을 했다. 버스가 제시간에 왔으면 지각을 하지 않았을 것이다.
   → _____:

| 발음 🔊 | 좋은 선수가 되었을 텐데.↘ | 아쉬움을 표현하는 '-(으)ㄹ 텐데'는 끝을 내려서 말한다. 그리고 잠시 쉬고 다음 표현을 이어서 말한다. | ▷ 다음을 읽어 볼까요?
• 미리 말했으면 **준비했을 텐데**.↘
• 일찍 돈을 벌었으면 부자가 **되었을 텐데**.↘ |

어휘와
표현

후회되는 일

신중하게 결정하지 못하다	최선을 다하지 못하다	너무 쉽게 포기하다

실수를 저지르다	기회를 놓치다	화를 참지 못하다

부탁을 거절하지 못하다	다른 사람에게 상처를 주다

다른 사람의 시선을 너무 신경 쓰다	다른 사람에게 잘해 주지 못하다

1. 알맞은 말을 골라 문장을 완성해서 말해 보십시오.

1) 나는 순간 _____ 친구에게 소리를 질렀어요.

2) 망설이지 말고 빨리 신청하세요. 이런 _____
   틀림없이 후회할 거예요.

3) 한 번 결정하면 바꾸기 어려운데 그때 제가 너무 어려서 _____
   _____.

4) 경기 도중에 우리 팀이 여러 번 _____ 상대편이
   쉽게 승리했어요.

5) 실패했다는 사실보다 제가 할 수 있는 _____ 는
   것이 더 속상했어요.

6) _____ 않으려고
   말을 조심해서 했어요.

2. 여러분이 최근에 가장 후회한 일에 대해 이야기해 보십시오.

> 지난주에 학교에서 발표를 했는데 준비가
> 부족해서 실수를 저질렀어요. 최선을 다해서
> 준비했으면 더 잘했을 텐데.

말하고 쓰기

1. 지금까지 살면서 아쉽거나 후회되는 일이 있습니까? 다음과 같이 이야기해 보십시오.

⊗ 이렇게 해 봐요

아쉽거나 후회되는 일에 대해 말하기 전에 다음과 같은 내용을 생각해 보자.

○ 이미 한 일 중에서 아쉽거나 후회되는 일
○ 하지 않은 일 중에서 아쉽거나 후회되는 일

1) 어떤 일이 아쉽거나 후회됩니까?

2) 아쉽거나 후회되는 이유가 무엇입니까?

3) 그때로 돌아간다면 어떻게 하고 싶습니까?

> 제가 가장 후회되는 일은 치과에 너무 늦게 간 거예요. 처음에 이가 조금 아팠는데 치과에 가지 않았어요. 무섭기도 하고 귀찮기도 했거든요. 그런데 시간이 지나면서 통증이 점점 심해졌어요. 치과에 갔더니 의사가 조금 일찍 왔으면 더 치료하기 쉬웠을 거라고 했어요. 치료받을 때 너무 아파서 눈물이 났어요. 돈도 더 많이 들었고요.

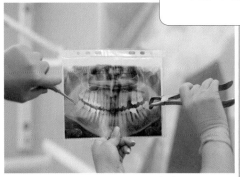

 친구가 이야기한 내용을 여러분 나라 말로 통역해 보십시오.

• 친구가 이야기한 내용을 적어 보십시오.
• 그 내용을 다른 친구에게 통역해서 전달해 보십시오.

2. 여러분이 살면서 가장 후회되는 일에 대해 써 보십시오.

....

....

....

....

....

....

....

....

....

....

....

....

자기 점검

1. 아쉽거나 후회되는 일을 말할 수 있어요?
2. 그때의 상황을 설명할 수 있어요?

5

40대는 청소년들에 비해서 결혼을 해야 한다는 응답이 많았습니다

세대 차이를
설명할 수 있다.

어휘와 표현

세대

문법

에 비해서,
-아야지 / 어야지

S 4B

5

❶ 다음은 나이에 따른 변화 과정입니다. 시기별로 어떠한 특징이 있습니까?

❷ 다음은 한국의 세대에 대한 표현입니다. 여러분은 어떤 표현을 알고 있습니까?

베이비 부머 세대

에코 세대

Y세대

X세대

Z세대

산업화 세대

586 세대

밀레니얼 세대

문법

에 비해서

앞의 명사가 뒤의 명사와 같은 내용으로 비교 평가될 때 사용한다. '에 비해'라고도 쓸 수 있다.

나이가 많은 사람들은 젊은 사람들과
비교했을 때 건강에 관심이 많은 것 같아요.

▶ 나이가 많은 사람들은 젊은 사람들에 비해서
건강에 관심이 많은 것 같아요.

우리 나라는 한국과 비교했을 때 여름에 비가 많이 와요.

▶ 우리 나라는 한국에 비해 여름에 비가 많이 와요.

---

1. 다음과 같이 알맞은 말을 연결하고 문장을 만들어서 말해 보십시오.

 시골은 도시에 비해서 공기가 깨끗해요.

1)	시골 ‒ 도시	•－－－－－－－－－－•	공기가 깨끗하다
2)	노인 ‒ 청년	•	• 비타민 C가 풍부하다
3)	운동화 ‒ 구두	•	• 발이 편하다
4)	태블릿 ‒ 핸드폰	•	• 건강 문제에 관심이 많다
5)	귤 ‒ 수박	•	• 화면이 더 크다

2. 다음의 두 대상을 비교해서 차이를 이야기해 보십시오.

1) 부모 세대 ‒ 자식 세대

2) 한국 음식 ‒ 고향 음식

3) 우리 동네 ‒ 다른 동네

4) 올해 ‒ 작년

부모 세대는 자식 세대에 비해서
결혼과 출산을 중요하게 생각하는
것 같아요.

듣고
말하기

1. 다음 대화를 잘 듣고 질문에 답하십시오.

1) 수지 씨와 수지 씨의 부모님은 무엇에 대해 생각이 다릅니까?

① 줄임말 사용
② 대화의 중요성
③ 좋은 생일 선물

2) 들은 내용과 같으면 ○, 다르면 × 표시를 하십시오.

① 수지는 가끔 부모님과 대화가 잘 안 통한다. (　　)
② 진의 부모님은 줄임말 사용을 싫어한다. 　(　　)

2. 여러분은 세대 차이를 느낀 적이 있습니까?
언제 세대 차이를 느끼는지 이야기해 보십시오.

우리 부모님은 항상 안정적인 직업을 가져야 한다고 말씀하세요. 저랑은 직업에 대한 생각이 좀 달라서 세대 차이를 느껴요.

우리 부장님은 다른 상사에 비해서 생각이 젊으신 것 같아요. 그래서 세대 차이를 느낀 적이 없어요.

대화

⊕ 더 알아봐요

조사 결과를 보고할 때 사용하는 표현

○ _____의 경우
○ ○○%가 ~라고 답했습니다.
○ ~라고 답한 사람이 ○○%였습니다.

⊕ 더 알아봐요

-별

'-별'은 앞의 말에 붙어서 '그것에 따른'이라는 의미를 더해 준다.

○ 세대별
○ 지역별
○ 학교별
○ 월별

---

1. 결혼에 대한 세대 차이를 이야기하고 있습니다. 세대별로 어떤 차이가 있는지 이야기해 보십시오.

아나운서: 세대별로 결혼에 대해 어떻게 생각하는지를 조사하였다고 합니다. 김세종 기자, 결과는 어땠습니까?

기자: 10대 청소년들의 경우 결혼을 반드시 해야 한다고 답한 사람이 28% 정도였습니다. 그러나 40대와 50대는 10대 청소년들에 비해서 결혼을 해야 한다는 응답이 더 많았습니다. 40대와 50대는 각각 42%, 56%가 결혼은 반드시 해야 한다고 답했습니다. 그리고 60세 이상의 노인들은 71%가 결혼을 해야 한다고 답했습니다. 60세 어르신의 생각을 들어 보았습니다.

노인: 결혼은 꼭 해야지요. 좋은 사람 만나서 아이도 낳고 행복하게 사는 것이 인생 아니겠어요?

1) 이 조사에서 물어본 것은 무엇입니까?

2) 결혼에 대해서 세대별로 어떤 의견 차이가 있었습니까?

대화 속 문법

-아야지 / 어야지

다른 사람에게 어떤 일을 해야 한다거나 어떤 상태여야 함을 말할 때 혹은 말하는 사람이 의지를 가지고 어떤 일을 하려고 할 때 쓴다.

영수야, 밥 먹고 가야지.
오늘 저녁에 이 책을 읽어야지.

1. 다음 문장을 '-아야지/어야지'를 사용해서 완성해서 말해 보십시오.

1) 왜 이렇게 늦었어? 늦으면 늦는다고 .... (연락을 하다)

2) 겨울에 감기에 걸리지 않으려면 옷을 따뜻하게 .... (입다)

3) 며칠 동안 야근을 했더니 너무 피곤해.
   오늘은 집에 일찍 들어가서 .... (쉬다)

어휘와 표현

세대

아동	청소년	사춘기

청년	중년	노인

구세대	신세대	보수적	개혁적

1. 알맞은 말을 골라 문장을 완성해서 말해 보십시오.

1) 새로운 문화를 쉽게 받아들이고 개성이 뚜렷한 특징을 가지는 세대를 ....
   라고 한다.

2) 인간의 수명이 길어지면서 은퇴 이후에도 일하는 .... 이 증가하고 있다.

3) .... 의 미디어 중독이 최근 증가하여 치료를 위한 대책 수립이 시급하다.

4) 우리 학교에서는 '............................... 자녀와 잘 지내기'라는 주제로 학부모 교육을
   실시하고 있다.

5) 대학 졸업 후 취업을 희망하지만 일자리를 구하지 못하는 ....
   실업 문제가 심각하다.

2. 여러분 나라에서는 세대별로 결혼과 가족에 대한 생각이 어떻게 다릅니까?
다음과 같이 이야기해 보십시오.

> 40대, 50대들은 "결혼을 하면 아이를 낳아야지."라고 생각하는 사람이 많은 것 같아요. 그런데 청년들은 그렇지 않은 것 같아요.

1. 다음 글을 읽고 질문에 답하십시오.

　　최근 세대 차이를 재미있게 보여 주는 광고가 인기를 끌고 있다. 이 광고는 '시대가 바뀌었다, 커피도 바뀌었다'라는 문구와 함께 40대 직장 상사와 20대 신입 사원 사이의 세대 차이를 보여 준다. 힘든 일이 끝난 후 회식을 하고 싶어 하는 40대 상사와 퇴근 시간이 되자마자 취미 생활을 위해 가장 먼저 퇴근하는 20대 신입 사원은 직장에서의 세대 차이를 잘 보여 준다.

　　이 광고에서처럼 직장에서는 상사와 신입 사원 간의 세대 차이가 다양한 부분에서 나타난다. 회식에 대한 생각뿐만 아니라 출퇴근 시간에 대한 생각, 일하는 방식에 대한 생각 등 여러 부분에서 차이가 나타난다. 서로 협력하며 일하는 직장을 만들기 위해서는 다른 세대를 이해하는 노력이 필요할 것이다.

회식

시대가 바뀌었다, 커피도 바뀌었다.

1) 이 글에서 말하고자 하는 것은 무엇입니까?

2) 이 글에서 이야기한 광고 내용이 <u>아닌</u> 것은 무엇입니까?

　① 광고 속 직장 상사는 일이 끝난 후 회식을 하려고 했다.

　② 일하는 방식에 대한 생각 등 직장 내 세대 차이를 보여 준다.

　③ 광고 속 신입 사원은 퇴근 후 개인 생활을 중요하게 생각한다.

　④ 이 광고는 열심히 일하는 회사 분위기를 만들기 위해 만들어졌다.

위 글을 여러분 나라의 말로 번역해 보십시오.

• 친구와 짝을 지어서 한 문단씩 번역해 보십시오.
• 친구가 번역한 문단을 읽어 보고 확인해 보십시오.

2. 여러분은 가정이나 학교, 직장에서 세대 차이를 경험한 적이 있습니까?
여러분의 경험을 써 보십시오.

자기 점검

1. 세대 차이에 대한 경험을 말할 수 있어요?
2. 세대 차이를 설명할 수 있어요?

식당에서 직원을
어떻게 부르는지
알아요?

문화 차이를
설명할 수 있다.

어휘와 표현
한국 문화

문법
-는지/(으)ㄴ지 알다, 모르다,
-는다면서요?/ㄴ다면서요?/
다면서요?

❶ 나라마다 다른 문화 차이에 대해 얼마나 알고 있습니까?

세계의 다양한 인사 방법

세계의 다양한 식사 기구

❷ 여러분 나라의 문화와 어떻게 다릅니까?

문법

-는지/(으)ㄴ지 알다, 모르다

어떤 내용에 대해 알거나 모르는 것을 말할 때 쓴다.

한국 사람들은 사진을 찍을 때 뭐라고 해요? 알아요?

▶ 한국 사람들은 사진을 찍을 때 뭐라고 하는지 알아요?

박물관이 몇 시에 문을 닫아요? 알아요?

▶ 박물관이 몇 시에 문을 닫는지 알아요?

---

1. 다음과 같이 문장을 만들어서 말해 보십시오.

> 그 친구가 무슨 음식을 좋아하는지 알아요?

1) 기차역에 어떻게 가요? → _____?

2) 캠핑 도구를 어디에서 팔아요? → _____?

3) 제주도에 뭐가 유명해요? → _____?

4) 그 사람은 왜 회사를 그만뒀어요? → _____?

5) 보고서 제출 마감일이 언제예요? → _____?

2. 다음 문제에 대해 서로 묻고 대답해 보십시오.

> 우리 반에서 누가 노래를 잘하는지 알아요?

> 네. 안나 씨가 제일 잘해요.

> 아니요. 누가 노래를 잘하는지 몰라요.

1) 우리 반에서 노래 잘하는 사람

2) 한국 사람들이 설날에 먹는 음식

3) 학교 식당의 위치

4) 세종학당의 다음 학기 개강 날짜

5) 수업이 끝나는 시간

6) 시장에 가는 방법

듣고
말하기

1. 다음 대화를 잘 듣고 질문에 답하십시오.

1) 두 사람은 지금 무엇에 대해 이야기하고 있습니까?

① 　　② 　　③

2) 들은 내용과 같으면 ○, 다르면 × 표시를 하십시오.

① 여자는 프랑스에서 비행기를 탄 적이 있다. 　　　　　　　（　　）

② 여자는 토마토주스에 소금을 넣는 것이 더 맛있다고 생각한다. （　　）

---

2. 다른 나라와의 문화 차이를 느낀 적이 있습니까? 어떤 문화 차이를 느꼈는지 이야기해 보십시오.

1) 언제, 어떤 부분에서 문화 차이를 느꼈습니까?

2) 여러분 나라의 문화와 어떻게 달랐습니까? 다음과 같이 이야기해 보십시오.

> 한국에서는 난방을 어떻게 하는지 알아요? 작년에 한국에 갔을 때 한국 친구 집에 간 적이 있었는데요. 집에 들어갔는데 바닥이 따뜻한 거예요. 우리 나라에서는 난로로 공기를 따뜻하게 하는데 한국에서는 바닥을 따뜻하게 하더라고요. 정말 신기했어요.

대화

⊕ 더 알아봐요

한국 식당에만 있는 독특한 물건들

○ 수저 담는 서랍

○ 직원 호출 벨

○ 손님용 앞치마

○ 옷을 보관할 수 있는 의자

02

1. 문화 차이에 대해 대화를 나누고 있습니다. 진 씨가 경험한 것을 이야기해 보십시오.

안나: 진 씨, 서울에 출장 다녀왔다면서요?

진: 네. 그런데 식당에서 재미있는 일이 있었어요. 삼겹살을 주문했는데 종업원이 고기를 집게로 집어 가위로 잘라 주더라고요.

안나: 가위로요? 재미있네요. 우리 나라에서는 보통 접시 위에 놓고 칼로 자르는데.

진: 그러니까요. 그리고 신기한 게 또 있었어요. 한국 식당에서 필요한 게 있을 때 직원을 어떻게 부르는지 알아요?

안나: '여기요!'라고 부른다고 배운 것 같은데, 아니에요?

진: 그렇게도 부르는데요. 탁자 위에 호출 벨이 붙어 있는 경우가 많더라고요. 벨을 누르면 소리를 듣고 직원이 오는 거죠.

안나: 그거 편하겠네요. 직원이 안 보여도 기다릴 필요가 없잖아요.

1) 한국 식당에서는 무엇으로 고기를 잘라 줍니까?

2) 한국 식당에서는 직원을 어떻게 부릅니까?

대화 속 문법

-는다면서요?/ ㄴ다면서요?/ 다면서요?

들어서 아는 어떤 사실을 상대방에게 확인하기 위해 물어볼 때 쓴다.

다음 주부터 생필품 가격이 오른다면서요?
한국에서는 아기가 대어나자마지 한 살이 된다면서요?

1. 다음과 같은 말을 들었습니다. '-는다면서요?/ ㄴ다면서요?/다면서요?'를 사용해서 친구에게 확인해 보십시오.

1) 이번 주말에 제주도에 가다

　　　　　　　　　　　　　　　　?

2) 집에서 취미로 과자를 만들다

　　　　　　　　　　　　　　　　?

3) 한국에서는 쓰레기를 배출할 때 쓰레기봉투를 따로 구입해야 하다

　　　　　　　　　　　　　　　　?

발음
🔊

출장 → [출짱]

한자어에서 'ㄹ' 받침 뒤에 이어지는 'ㄷ, ㅅ, ㅈ'은 [ㄸ], [ㅆ], [ㅉ]으로 발음한다.

▷ 다음을 읽어 볼까요?
• 과학 기술의 **발전으로** 인해 일자리가 줄어들었다.
• 봄은 날씨가 따뜻해서 야외 **활동에** 좋은 계절이다.

어휘와 표현

한국 문화

사고방식
- 웃어른을 존경하다
- 정이 많다
- '나'보다 '우리'를 중요하게 생각하다

생활 방식
- 집 안에서 신발을 벗고 생활하다
- 숟가락과 젓가락을 사용하다
- 어른이 먼저 수저를 드신 후에 식사를 시작하고 식사 속도를 맞추다

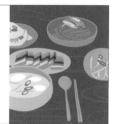

표현 방식
- 반말과 높임말이 있다
- 지역 사투리가 있다
- 가족을 부르는 말이 다양하다
- 소리나 모양을 나타내는 표현이 많다

1. 알맞은 말을 골라 문장을 완성해서 말해 보십시오.

1) 한국어에는 .... :
   보통 나이가 많거나 처음 만나는 사람에게는 높임말을 쓴다.

2) 어느 사회든 .... 것은 아주 일반적이고 기본적인 삶의 태도이다.

3) 한국에서는 .... 생활하기 때문에
   보통 현관에서 신발을 벗고 들어간다.

4) 한국 사람들은 .... 밥을 먹는다.

5) 한국어에는 언니, 누나, 오빠, 형, 삼촌, 이모 등 ....
   .... :

6) .... 사람은 공감 능력이 뛰어나기 때문에 항상 주위에 사람들이 많다.

2. 위에서 배운 한국 문화와 여러분 나라의 문화를 비교해서 이야기해 보십시오.

한국에서는 집 안에서 신발을 벗고 생활한다면서요? 우리 나라에서는 집 안에서도 신발을 신고 생활해요. 잘 때만 신발을 벗어요.

1. 다음 글을 읽고 나라별로 다른 손동작의 의미를 아래의 표에 정리해 보십시오.

나라마다 문화가 다른 것처럼 손동작의 의미도 조금씩 다르다. 우선 엄지와 검지를 모아서 동그라미를 만드는 손동작은 대부분의 나라에서 'OK' 즉, '좋다'라는 뜻으로 사용한다. 하지만 프랑스에서는 이런 동작을 하면 오해가 생길 수 있다. 이 동작이 '가치 없다'라는 의미이기 때문이다. 또 튀르키예나 브라질에서는 상대방을 기분 나쁘게 하는 욕이 되기도 한다.

엄지손가락을 위로 올리는 동작은 대부분의 나라에서 '최고'라는 뜻으로 사용한다. 유럽에서는 숫자 1을 의미하기도 한다. 하지만 호주에서는 거절이나 욕으로 사용되기 때문에 주의해야 한다.

손가락 두 개로 'V' 자를 만드는 동작은 바로 '승리'를 나타낸다. 한국 사람들은 사진을 찍을 때도 이 손동작을 많이 사용한다. 그런데 그리스, 영국, 호주 등에서 이 동작이 어떤 의미로 해석되는지는 모르는 사람들이 많다. 그리스에서는 손바닥이 보이는 V가, 영국과 호주에서는 손등이 보이는 V가 상대방을 무시하는 표현으로 해석된다.

다른 손가락을 오므리고 새끼손가락만 세우면 한국에서 약속을 의미하지만, 인도에서는 화장실에 가고 싶다는 표현이 된다. 또 발리에서는 '나쁘다'라는 뜻으로, 중국에서는 상대방에게 도움이 안 되는 사람이라고 말하고 싶을 때 사용한다.

손동작	나라별 의미		
	대부분의 나라		
	프랑스	튀르키예, 브라질	
	대부분의 나라		
	유럽	호주	
	대부분의 나라	한국	
	그리스	영국과 호주	
	한국	인도	
	발리	중국	

손동작의 의미를 여러분 나라 말로 번역해 보십시오.

- 한 사람이 손동작 하나씩 맡아 보십시오.
- 여러분이 맡은 손동작의 의미를 번역해 보십시오.

2. 여러분 나라의 몸짓 언어와 다른 나라의 몸짓 언어를 비교하는 글을 써 보십시오.

⊕ 더 알아봐요

**한국에서 아이들이 약속할 때
사용하는 동작**

약속

도장

사인

복사

자기 점검

1. 문화 차이에 대한 경험을 말할 수 있어요?
2. 문화 차이를 설명할 수 있어요?

7

저는 하늘길을 관리하는 일을 합니다

직업과 업무를
설명할 수 있다.

어휘와 표현
업무

문법
-는 데에,
-다 보니

S | 4B

7

❶ 다음과 같은 분야에는 어떤 직업이 있습니까?

아이티(IT)

문화·예술

법률

❷ 한국의 청소년들은 다음과 같은 직업에 관심이 많습니다.
여러분 나라에서는 어떻습니까?

경찰

요리사

연예인

프로듀서

크리에이터

문법

-는 데에

주로 '도움이 되다, 효과가 있다, 시간이 걸리다, 필요하다' 등의 앞에 쓰여, 그 대상이나 목적이 됨을 나타낸다. '-는 데'라고도 쓴다.

사람들의 생활을 더욱 편리하게 만드는 것에 도움이 되는 일을 하고 있습니다.

▶ 사람들의 생활을 더욱 편리하게 만드는 데에 도움이 되는 일을 하고 있습니다.

산불로 인한 피해가 회복되는 것에 오랜 시간이 걸렸다.

▶ 산불로 인한 피해가 회복되는 데 오랜 시간이 걸렸다.

---

1. 다음과 같이 문장을 완성해서 말해 보십시오.

> 유학을 가는 데에 필요한 정보를 알려 주는 일을 해요.
>
> (유학을 가다)

1) ＿＿＿＿＿＿＿＿＿＿＿ 사용되는 재료를 판매하는 일을 해요. (건물을 짓다)

2) ＿＿＿＿＿＿＿＿＿＿＿ 시간을 투자하고 싶어요. (다양한 경험을 쌓다)

3) ＿＿＿＿＿＿＿＿＿＿＿ 많은 노력이 필요해요. (반려동물을 기르다)

4) 허브티는 ＿＿＿＿＿＿＿＿＿ 매우 효과적이에요. (마음을 안정시키다)

5) 선생님의 조언이 ＿＿＿＿＿＿＿＿ 큰 영향을 미쳤어요. (진로를 결정하다)

2. 다음과 같이 이야기해 보십시오.

> 컴퓨터 자격증을 따는 데에 시간이 오래 걸려요.

1) 시간이 오래 걸리는 일

2) 돈이 많이 드는 일

3) 노력이 필요한 일

듣고
말하기

1. 다음 대화를 잘 듣고 질문에 답하십시오.

1) '안무가'는 어떤 일을 하는 직업입니까? 모두 쓰십시오.

2) 들은 내용과 같으면 ○, 다르면 × 표시를 하십시오.

① 로라는 오래 전부터 춤을 배워 왔다.　　　　　　　（　　）
② 로라는 다양한 분야에서 안무가로 활동하고 싶어 한다.（　　）

2. 여러분이 지금 하고 있는 일 또는 앞으로 하고 싶은 일에 대해 이야기해 보십시오.

저는 나중에 자동차 회사에 취직해서 더 안전한 차를 만드는 일을 하고 싶어요.

저는 건물을 깨끗하게 청소하는 일을 하고 있어요.

대화

⊕ 더 알아봐요

인천국제공항

인천에 위치한 국제공항으로 2001년에 문을 열었다. 인천국제공항은 고속도로와 인천공항철도로 다른 지역과 연결되어 있다.

⊕ 더 알아봐요

'-력(力)'의 의미

한국어의 '-력(力)'은 단어 뒤에 붙어서 '능력' 또는 '힘'이라는 뜻을 나타낸다.

○ 판단력
○ 이해력
○ 사고력
○ 집중력
○ 경제력
○ 경쟁력
○ 추진력

---

1. 직업에 대해 대화를 나누고 있습니다. 어떤 일을 하는지 이야기해 보십시오.

진행자: 여러분은 혹시 '관제사'라는 직업에 대해 알고 계시나요? 오늘은 22년 동안 관제사로 일하고 있는 이은주 팀장님과 이야기 나누어 보도록 하겠습니다.

이은주: 안녕하세요? 인천국제공항에서 근무하는 관제사 이은주입니다.

진행자: 관제사는 구체적으로 어떤 일을 하는 직업인가요?

이은주: 관제사는 하늘길을 관리하는 일을 합니다. 하늘에도 땅에서처럼 비행기가 다니는 길이 있거든요. 관제사는 비행기가 빠른 길을 갈 수 있도록 안내하고, 안전하게 착륙하는 데에 도움을 주는 일을 합니다.

진행자: 하늘에도 길이 있다는 게 신기하네요. 그렇다면 관제사가 되기 위해 필요한 능력은 무엇일까요?

이은주: 정확한 판단력을 갖추는 게 가장 중요한 것 같습니다. 그런데 20년 넘게 일하다 보니 순발력도 그에 못지않게 중요한 것 같습니다.

1) 이은주 씨의 직업은 무엇입니까?

2) 어떤 일을 합니까?

3) 이 일을 하기 위해서는 어떤 능력이 필요합니까?

대화 속 문법

-다 보니

앞에 나오는 일을 하는 과정에서 어떤 상태가 되었거나 새로운 사실을 알게 되었을 때 쓴다.

계속 걷다 보니 고민이 사라졌다.
정신없이 지내다 보니 한 달이 다 갔다.

1. 다음 내용을 '-다 보니'를 사용해서 한 문장으로 이야기해 보십시오.

1) 한국에 살다 → 매운 음식도 잘 먹게 되었다

....

2) 선생님의 설명을 듣다 → 비로소 이해가 되기 시작했다

....

3) 오랜만에 만난 친구와 이야기하다 → 시간이 가는 줄도 몰랐다

....

어휘와 표현

업무

개발하다	분석하다	관리하다	제작하다
창조하다	연구하다	검사하다	해결하다
제공하다	홍보하다

1. 알맞은 말을 골라 문장을 완성해서 말해 보십시오.

1) 수리 기사는 기계에 생긴 문제를 .... 일을 해요.

2) 작가는 글을 통해 현실에 없는 새로운 세상을 ....

3) 프로듀서는 사람들이 좋아할 만한 방송을 ....
   일을 해요.

4) 저는 저희 회사 신제품을 에스엔에스(SNS)에 ....
   일을 하고 있어요.

5) 저희는 고객님들에게 최고의 서비스를 .... 위해
   노력하고 있습니다.

6) 저는 제품의 안전성을 .... 일을 해요.

2. 다음과 같은 직업을 가진 사람들은 어떤 일을 합니까? 다음과 같이 이야기해 보십시오.

교수는 대학에서 학문을 가르치고
연구하는 일을 해요.

1) 게임 개발자

2) 심리 상담사

읽고 쓰기

1. 다음 글을 읽고 질문에 답하십시오.

 직업정보사전

요리 연구가

⊕ 더 알아봐요

일에 맞는 적성을 말할 때 사용하는 표현

○ 분석적
○ 계획적
○ 논리적
○ 창의적
○ 감성적

◇ '요리 연구가'가 하는 일

'요리 연구가'는 새로운 음식을 연구하고 개발하는 일을 한다. '요리사'는 손님들에게 맛있는 음식을 만들어 주는 것이 가장 주요한 일이지만 '요리 연구가'는 새로운 메뉴와 요리 방법을 만드는 데에 집중한다.

◇ '요리 연구가'에게 필요한 능력

요리 실력을 갖추어야 할 뿐만 아니라 사람들의 취향과 요구를 분석하고 그에 맞는 요리를 개발할 수 있어야 한다. 또한, 전통 음식이나 다른 나라의 음식 등을 다양하게 연구하고 새롭게 창조할 수 있어야 한다.

◇ 잘 어울리는 사람

분석적이고 창의적인 사람, 호기심이 많은 사람

◇ 관련 전공

식품조리학과, 식품영양학과

1) '요리 연구가'는 '요리사'와 어떻게 다릅니까?

2) '요리 연구가'는 어떤 능력을 갖추어야 합니까?

윗글을 여러분 나라 말로 번역해 보십시오.

• 글의 내용을 짝과 한 부분씩 맡아 여러분 나라의 말로 번역해 보십시오.
• 번역한 내용을 읽어 보고 맞는지 확인해 보십시오.

2. 여러분의 주변 사람들은 어떤 일을 하고 있습니까? 주변 사람의 직업에 대해 인터뷰하고 다음을 완성해서 말해 보십시오.

직업정보사전

◇ _____이/가 하는 일

◇ _____에게 필요한 능력

◇ 잘 어울리는 사람

◇ 관련 전공

자기 점검

1. 직업을 설명할 수 있어요?
2. 직업의 업무를 설명할 수 있어요?

8 삶에 대한 가르침을 줬다는 점에서 존경을 받습니다

존경하는 인물을
소개할 수 있다.

어휘와 표현
업적

문법
-는다는/ㄴ다는/다는 점에서,
-(으)ㄴ 결과

❶ 여러분이 아는 사람이 있습니까? 이 사람들은 왜 존경을
받습니까?

❷ 한국의 화폐에는 한국 사람들이 존경하는 인물이 새겨져
있습니다. 어떤 사람들인지 알고 있습니까?
여러분 나라의 화폐에는 어떤 인물이 새겨져 있습니까?
그 인물들은 어떤 사람들입니까?

백 원: 이순신 장군　　　천 원: 퇴계 이황　　　오천 원: 율곡 이이

만 원: 세종대왕　　　오만 원: 신사임당

문법

-는다는/ㄴ다는/다는 점에서

앞에 인용한 내용이 뒤의 판단에 근거가 됨을 나타낸다.

이번 실험은 세계에서 처음으로 성공했다.
바로 그것 때문에 의미가 있다.

▶ 이번 실험은 세계에서 처음으로 성공했다는 점에서 의미가 있다.

그분은 많은 생명을 구했다.
바로 그것 때문에 사람들의 존경을 받는다.

▶ 그분은 많은 생명을 구했다는 점에서 사람들의 존경을 받는다.

---

1. 다음과 같이 알맞은 말을 연결하고 문장을 만들어서 말해 보십시오.

> 세종 대왕은 한글을 만들었다는 점에서 한구 사람들의 존경을 받는다.

1) 세종 대왕 ·········· 한글을 만들었다 ·········· 존경을 받다
2) 인간 · · 환경 오염을 줄일 수 있다 · · 매우 중요하다
3) 나 · · 높임말과 반말이 있다 · · 운이 좋은 사람이다
4) 태양 에너지 · · 문자를 사용하다 · · 영어와 차이가 있다
5) 한국어 · · 나를 진심으로 걱정해 주는 사람이 있다 · · 동물과 구별되다

2. 친구들에게서 배울 만한 점을 찾아서 이야기해 보십시오.

> 민수 씨는 항상 열심히 노력한다는 점에서 존경할 만해요.

> 수지 씨는 활발하고 솔직하다는 점에서 친구들에게 사랑을 받아요.

이름	배울 만한 점
민수	항상 열심히 노력한다
수지	활발하고 솔직하다

1. 다음 뉴스를 잘 듣고 질문에 답하십시오.

1) 한국 사람들에게 가장 존경받는 직업은 무엇입니까?

①  ②  ③

2) 들은 내용과 같으면 ○, 다르면 × 표시를 하십시오.

① 환경미화원은 이번 조사에서 2위를 차지하였습니다. (   )

② 20년 전에 가장 존경받는 직업은 판사와 검사였습니다. (   )

2. 다음 글을 읽고 질문에 답하십시오.

세상에 부자는 많지만 존경받는 부자는 드물다. 돈을 바르게 쓸 줄 모르기 때문이다. 경주에 조선 시대부터 300년 동안 내려온 최 부잣집이 있었다. 최 부잣집에는 항상 손님이 많았다. 집에 찾아오는 모든 손님을 잘 대접했기 때문이다. 최 부잣집은 가난한 사람들을 돕는 일에도 앞장섰다. 배고픈 사람들에게 쌀을 나눠 주고 겨울에는 옷을 만들어서 나눠 주기도 하였다. 재산이 많았지만 늘 절약을 실천하였고, 이웃에게 베푸는 것을 아까워하지 않았다. 이렇게 최 부잣집은 재산을 늘리는 데만 힘쓰지 않고 이웃들에게 나누고 베푸는 삶을 살았다는 점에서 지금까지도 많은 사람들에게 존경을 받고 있다.

1) 최 부잣집에는 왜 손님이 많았습니까?

2) 최 부잣집에서는 가난한 사람들을 위해 어떤 일을 했습니까?

3) 최 부잣집이 존경받는 이유를 이야기해 보십시오.

대화

1. 존경하는 인물에 대해 발표하고 있습니다. 민호 씨가 말하는 존경하는 인물에 대해 이야기해 보십시오.

⊕ **더 알아봐요**

법정 스님(1932~2010)

한국의 승려이자 수필 작가이다. 대표적인 수필집으로《무소유》,《오두막 편지》등이 있다.

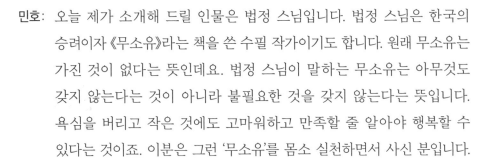

민호: 오늘 제가 소개해 드릴 인물은 법정 스님입니다. 법정 스님은 한국의 승려이자《무소유》라는 책을 쓴 수필 작가이기도 합니다. 원래 무소유는 가진 것이 없다는 뜻인데요. 법정 스님이 말하는 무소유는 아무것도 갖지 않는다는 것이 아니라 불필요한 것을 갖지 않는다는 뜻입니다. 욕심을 버리고 작은 것에도 고마워하고 만족할 줄 알아야 행복할 수 있다는 것이죠. 이분은 그런 '무소유'를 몸소 실천하면서 사신 분입니다.

평생 동안 무소유의 삶을 실천하신 결과 소박하고 검소한 삶의 본보기가 되신 분이죠. 이렇게 법정 스님은 삶에 대한 중요한 가르침을 줬다는 점에서 한국 사람들에게 많은 존경을 받는 분입니다.

1) 법정 스님은 어떤 사람입니까?

2)《무소유》는 무슨 뜻입니까?

3) 법정 스님이 존경을 받는 이유가 무엇입니까?

대화 속 문법

끊임없이 도전한 결과 마침내 신기록을 세우게 되었다.
물건을 자세히 살펴본 결과 고장난 곳을 찾을 수 있었다.

-(으)ㄴ 결과

앞에 나오는 일을 한 후에 뒤의 내용의 결과로 마무리되었다는 것을 나타낸다.

⊕ **더 알아봐요**

'-(으)ㄴ 결과'의 사용

'-(으)ㄴ 결과로', '-(으)ㄴ 결과이다'의 형태로도 사용한다.

ㅇ 그는 열심히 노력한 결과로 성공할 수 있었다.
ㅇ 그가 성공한 것은 열심히 노력한 결과이다.

1. 다음 내용을 '-(으)ㄴ 결과'를 사용해서 한 문장으로 말해 보십시오.

1) 매일 밤늦게까지 컴퓨터 게임을 하다 → 성적이 많이 떨어지다

　　　　　　　　　　　　　　　　　　　　　　　　　　　　　.

2) 약을 꾸준히 먹다 → 병이 빨리 낫다

　　　　　　　　　　　　　　　　　　　　　　　　　　　　　.

3) 선수들이 열심히 노력하다 → 대회에서 우승하다

　　　　　　　　　　　　　　　　　　　　　　　　　　　　　.

| **발음** 🔊 | 승려 → 승녀 | 받침 'ㅇ' 뒤에 연결되는 'ㄹ'은 [ㄴ]으로 발음한다. | ▷ 다음을 읽어 볼까요?
• 이번 학기에도 세종학당에 **등록했다**.
• 이삿짐을 **정리해서** 옮겼다. |

어휘와 표현

업적

세계 평화에 기여하다	많은 사람의 생명을 구하다	훌륭한 예술 작품을 남기다
권리 보호에 앞장서다	새로운 물건을 발명하다	나라를 위기에서 구하다
몸소 실천하다	백신을 개발하다	인간의 한계에 도전하다

일생을 바치다

1. 알맞은 말을 골라 문장을 완성해서 말해 보십시오.

1) 그는 사랑과 용서를 .... 것으로 유명하다.

2) 사막에서 하는 마라톤은 .... 운동이다.

3) 빈센트 반 고흐는 사람들의 마음을 위로하는 .... 화가이다.

4) 그는 아동이나 노인의 .... 훌륭한 변호사이다.

5) 한 제약 회사가 전염병을 예방하는 .... 데 성공했다.

6) 그는 전쟁에서 적을 물리침으로써 .... 인물이다.

2. 다음 인물들이 한 일에 대해 이야기해 보십시오.

- 많은 사람의 생명을 구하기 위해 최선을 다하다
- 실패를 반복하면서도 포기하지 않다
- 뛰어난 상상력으로 자신만의 그림을 그리다

- **훌륭한 예술 작품을 남기다**
- 많은 간호사들의 모범이 되다
- 새로운 물건을 발명하다

나이팅게일은 많은 사람의 생명을 구하기 위해 최선을 다한 결과 많은 간호사들의 모범이 되었다.

 나이팅게일

 에디슨

 레오나르도 다 빈치

말하고 쓰기

1. 여러분 나라 사람들이 가장 존경하는 인물은 누구입니까? 다음과 같이 이야기해 보십시오.

1) 그 사람이 누구입니까?

2) 그 사람은 무슨 일을 했습니까?

3) 사람들이 왜 그 사람을 존경합니까?

　　한국 사람들이 가장 존경하는 인물은 세종 대왕이에요. 세종 대왕은 여러분도 잘 아시다시피 한글을 만든 사람이에요. 고유한 문자가 없어서 불편을 겪던 백성들을 위해 쉽고 편하게 쓸 수 있는 한글을 만든 거예요. 세종 대왕은 한글뿐만 아니라 백성들을 위한 과학적인 발명품도 많이 만들었어요. 이렇게 그는 백성들을 아끼고 사랑하는 지도자였다는 점에서 한국 사람들의 존경을 받고 있어요.

여러분 나라 사람들이 존경하는 인물을 소개하는 글을 써 보십시오.

⊗ 이렇게 해 봐요

존경하는 인물에 대해 소개하는
글을 쓰기 전에 다음과 같은
내용을 생각하면서 내용을
마련해 보자.

○ 활동한 시대
○ 직업
○ 업적
○ 그 사람을 존경하는 이유

친구가 쓴 글을 여러분 나라 말로 번역해 보십시오.

• 친구가 쓴 글 중에서 존경하는 사람과 그 사람을 존경하는 이유에
  대해 쓴 부분을 찾아보십시오.
• 그 부분을 여러분 나라의 말로 번역해 보십시오.

자기 점검

1. 존경하는 인물을 소개할 수 있어요?
2. 존경하는 인물의 업적을 말할 수 있어요?

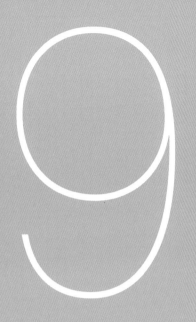

9 갈수록 현금을 사용하는 사람들이 줄어들고 있습니다

사회 변화를
설명할 수 있다.

어휘와 표현

변화

문법

-(으)ㄹ수록,
-(으)나

S | 4B
9

❶ 과거와 현재는 무엇이 달라졌습니까?

과거

현재

❷ 다음은 한국의 가족 인원 변화 그래프입니다. 여러분이 생각하는 가족은 몇 명입니까?

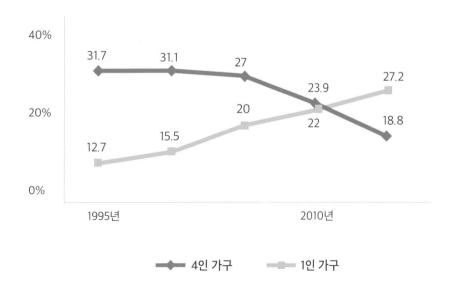

문법

과학이 발달하면 점점 더 사람들의 삶이 편리해져요.

▶ 과학이 발달할수록 사람들의 삶이 편리해져요.

-(으)ㄹ수록

앞에 나오는 상황이나 정도가 점점 심해지고 그에 따라 뒤에 나오는 내용도 점점 변화함을 나타낼 때 쓴다.

요리를 하면 점점 더 요리 실력이 늘어요.

▶ 요리를 할수록 요리 실력이 늘어요.

---

1. 다음에서 알맞은 말을 골라 문장을 완성해서 말해 보십시오.

 처음에는 몰랐는데 재민 씨는 만날수록
재미있는 사람인 것 같아요.

| 만나다 | 발달하다 | 히디 | 가다 | 듣다 | 먹다 |

1) 이 가수의 노래는 ＿＿＿＿＿＿＿＿＿＿＿ 점점 더 좋아져요.

2) 시간이 ＿＿＿＿＿＿＿＿＿＿＿ 노인 인구가 증가하고 있어요.

3) 김치가 맵기는 하지만 ＿＿＿＿＿＿＿＿＿ 맛있는 것 같아요.

4) 인터넷이 ＿＿＿＿＿＿＿ 책을 읽는 사람들이 줄어들고 있어요.

5) 운동을 하면 처음에는 힘들지만 ＿＿＿＿＿＿ 익숙해져서 괜찮아요.

---

2. 다음과 같이 점점 변화하는 것은 어떤 것이 있는지 이야기해 보십시오.

 내 친구는 알수록 멋있는 사람이에요.

시간이 갈수록 환경 오염이 심해져요.

듣고 말하기

1. 다음 방송을 잘 듣고 질문에 답하십시오.

1) 어떤 변화에 대해 이야기하고 있습니까?

①

②

③

2) 들은 내용과 같으면 ○, 다르면 × 표시를 하십시오.

① 최근에는 혼자서 밥을 먹는 사람들이 많다. ( )

② 1인분은 배달이 되지 않아 혼자서 배달 음식을 먹기 어렵다. ( )

2. 여러분 나라에서는 예전에 비해 어떤 변화가 있습니까? 다음과 같이 이야기해 보십시오.

예전에는 카메라를 들고 다니면서 사진을 찍는 사람이 많았는데 요즘에는 카메라 대신에 스마트폰으로 사진을 찍어요.

예전에는 집에서 쉴 때 텔레비전을 많이 봤어요. 그런데 요즘은 갈수록 텔레비전 대신에 인터넷 방송을 보는 사람이 많아지는 것 같아요.

대화

1. 사회 변화에 대해 이야기하고 있습니다. 어떤 사회 변화가 있는지 이야기해 보십시오.

02

⊕ 더 알아봐요

'변화'에 대한 속담

○ 10년이면 강산도 변한다

진행자: 간편 결제라는 말 들어 보셨습니까? 간편 결제는 현금이나 카드 없이 휴대폰으로 편리하게 결제하는 것을 말합니다. 이 간편 결제가 점점 늘어나고 있다는 소식입니다. 김세종 기자의 이야기 들어 보겠습니다.

김세종 기자: 조사 결과에 따르면 물건을 살 때 현금을 사용하는 사람이 크게 줄어들고 그 대신에 휴대폰 간편 결제를 이용하는 사람들이 2년 전에 비해 세 배 이상 늘어났다고 합니다. 과거에는 현금이나 카드를 가지고 다녀야 했으나 요즘은 휴대폰만 있으면 간편 결제를 사용해 물건을 살 수 있습니다. 방법이 편리한 데다가 다양한 할인도 받을 수 있어서 간편 결제를 이용하는 사람들이 갈수록 증가할 것으로 보입니다.

⊕ 더 알아봐요

'-는 것으로 보인다'의 의미

자신의 의견이나 앞으로의 전망을 조심스럽게 표현할 때 사용한다.

1) 어떤 변화에 대해 이야기하고 있습니까?

2) 간편 결제란 무엇입니까?

3) 간편 결제가 더 늘어날 것으로 생각하는 이유는 무엇입니까?

대화 속 문법

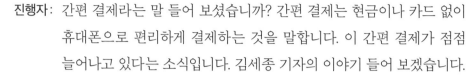

4인 가구는 줄어들었으나 1인 가구는 늘어났다.
어제는 날씨가 흐렸으나 오늘은 구름이 걷히겠습니다.

-(으)나

앞에 나오는 내용과 뒤에 나오는 내용이 반대되는 내용임을 나타낸다.

⊕ 더 알아봐요

'-지만'과 '-(으)나'

일반적으로 '-(으)나'는 말하기나 일상적인 상황에서보다는 쓰기나 격식적인 상황에서 더 많이 사용된다.

1. '-(으)나'를 사용해서 다음 문장을 완성해 보십시오.

1) 동생은 노래를 잘 부른다, 나는 노래를 잘 부르지 못한다

....

2) 이 구두는 디자인은 예쁘다, 이 구두는 발에 편하지 않다

....

3) 친구를 한 시간 동안 기다렸다, 친구는 오지 않았다

....

어휘와 표현

변화

늘어나다   줄어들다   증가하다   감소하다

달라지다   변화하다   점점   급격히   꾸준히

1. 알맞은 말을 골라 그래프를 설명하는 문장을 완성해서 말해 보십시오.

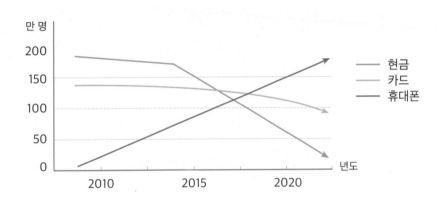

1) 물건을 살 때 결제하는 방법이 _____ 있다.

2) 현금으로 결제하는 사람이 _____ 감소하고 있다.

3) 카드로 결제하는 사람은 점점 _____ 있다.

4) 휴대폰으로 결제하는 사람은 꾸준히 _____ 있다.

2. 위에서 배운 어휘를 사용해 여러분 나라에서는 다음 주제에 대해 어떤 변화가 있는지 이야기해 보십시오.

우리 나라는 인구가 감소하고 있습니다. 예전에는 아이를 많이 낳았으나 요즘은 한 명만 낳거나 낳지 않는 사람들이 늘어나고 있습니다. 그래서 인구가 점점 감소하고 있습니다.

1) 인구

2) 직업

3) 취미

1. 다음 글을 읽고 질문에 답하십시오.

　　문화체육관광부가 발표한 '학생 독서 조사' 결과에 따르면 올해 종이책을 한 권 이상 읽은 청소년의 비율은 90.7%로 나타났다. 이는 2년 전과 비교하면 1.0%가 감소한 것이다. 한편 컴퓨터나 휴대폰 같은 전자 기기로 책을 읽는 전자책의 경우, 전자책을 한 권 이상 읽은 청소년은 2년 전에 비해서 7.4%가 늘어난 37.2%로 나타났다.

　　또한 최근 책을 읽어 주는 오디오 북 서비스가 생기면서 오디오 북에 대한 조사도 이번에 처음으로 포함되었는데, 오디오 북을 한 권 이상 이용한 학생은 18.7%로 나타났다. 오디오 북 서비스가 시작된 지 얼마 안 된 것을 생각하면 매우 급격한 변화이다. 시간이 지날수록 종이책 대신에 전자책이나 오디오 북을 이용하는 사람들이 더 증가할 것으로 보인다.

1) 이 글은 무엇에 대한 글입니까?

2) 이 글을 읽고 다음 그래프를 완성해서 말해 보십시오.

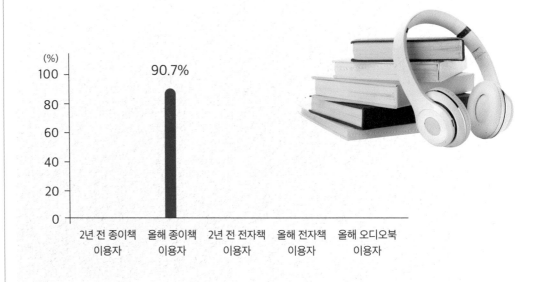

윗글을 여러분 나라의 말로 번역해 보십시오.

· 친구들과 모둠을 만들어 보십시오.
· 글을 읽으면서 한 문장씩 번역해 보십시오.

2. 다음은 월별 텔레비전 시청 시간과 인터넷 사용 시간을 조사한 결과입니다. 그래프를 보고 텔레비전 시청 시간과 인터넷 사용 시간의 변화에 대해 글을 써 보십시오.

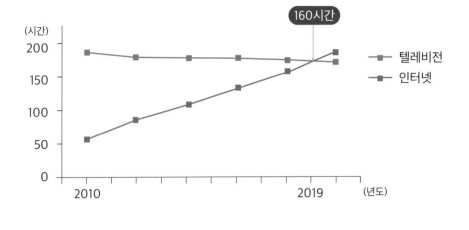

자기 점검

1. 두 대상을 비교해서 말할 수 있어요?
2. 사회 변화를 설명할 수 있어요?

10 저는 인터넷에서 실명을 써야 한다고 생각해요

찬성과 반대 의견을
표현할 수 있다.

어휘와 표현

찬성과 반대

문법

-는다고/ ㄴ다고/다고 생각하다,
-는/(으)ㄴ 거 아닐까 하다

S | 4B
🔊 | 10

❶ 이 사람들은 무엇을 하고 있습니까?

❷ 다음은 인터넷 실명제에 대한 조사 결과입니다. 여러분은 인터넷
실명제에 대해 어떻게 생각합니까?

인터넷 실명제

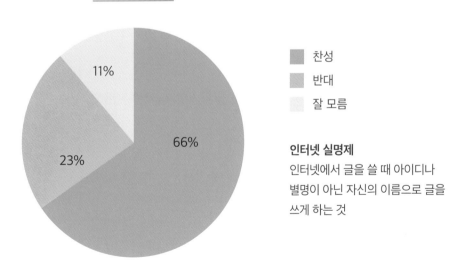

찬성
반대
잘 모름

인터넷 실명제
인터넷에서 글을 쓸 때 아이디나
별명이 아닌 자신의 이름으로 글을
쓰게 하는 것

문법

아이들이 어른들보다 외국어를 빨리 배워요.

▶ 저는 아이들이 어른들보다 외국어를 빨리
배운다고 생각해요.

-는다고/ㄴ다고/다고 생각하다

앞에 나오는 자신의 생각이나 의견을 표현할 때 쓴다.

서울의 집값이 매우 비싸요.

▶ 저는 서울의 집값이 매우 비싸다고 생각해요.

---

1. 다음과 같이 문장을 만들어서 대답해 보십시오.

 과일을 싸게 사려면 어디로 가는 것이 더 좋아요? (전통 시장 – 마트)

과일을 싸게 사려면 전통 시장에 가는 것이 좋다고 생각해요.

1) 한국어를 빨리 배우려면 어디에서 배우는 게 더 좋아요? (한국 – 우리 나라)

→ _____ :

2) 아이를 잘 키우려면 어디에서 사는 것이 더 좋아요? (도시 – 시골)

→ _____ :

3) 직업을 선택할 때 무엇이 더 중요해요? (연봉 – 적성)

→ _____ .

4) 상담을 할 때 가장 중요한 것은 무엇이라고 생각해요? (잘 들어주는 것 – 공감)

→ _____ :

2. 다음 주제에 대해 자신의 의견을 이야기해 보십시오.

1) 집값

2) 교통수단

3) 좋은 식당

4) 나의 장점

집값이 비싼 것 같아요. 특히 도시는
집값이 매우 비싸다고 생각해요.

듣고 말하기

1. 다음 대화를 잘 듣고 질문에 답하십시오.

1) 두 사람은 무엇에 대해 이야기하고 있습니까?

① 　② 　③

2) 들은 내용과 같으면 ○, 다르면 × 표시를 하십시오.

① 안나는 초등학생에게 휴대폰이 유용하다고 생각한다. (　　)

② 안나는 휴대폰 사용이 눈에 안 좋을 것이라고 생각한다. (　　)

2. 다음은 찬성과 반대 의견이 있는 주제입니다. 여러분은 다음 주제에 대해 어떻게 생각하는지 이야기해 보십시오.

높은 산에 케이블카를
설치하는 것

화장품을 만들기 위해 동물을
대상으로 실험을 하는 것

어렸을 때부터 혼자서
외국으로 유학을 가는 것

저는 케이블카가 자연환경을 파괴한다고 생각해요. 그래서 케이블카 설치에 반대해요.

저는 케이블카를 설치하면 편하게 산에 올라갈 수 있어서 어린이들이나 어르신들한테 도움이 된다고 생각해요.

대화

02

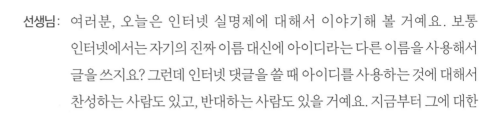

1. 인터넷 실명제에 대해 이야기하고 있습니다. 인터넷 실명제에 대해 어떻게 생각하는지 이야기해 보십시오.

선생님: 여러분, 오늘은 인터넷 실명제에 대해서 이야기해 볼 거예요. 보통 인터넷에서는 자기의 진짜 이름 대신에 아이디라는 다른 이름을 사용해서 글을 쓰지요? 그런데 인터넷 댓글을 쓸 때 아이디를 사용하는 것에 대해서 찬성하는 사람도 있고, 반대하는 사람도 있을 거예요. 지금부터 그에 대한 의견을 이야기해 볼까요?

안나: 저는 인터넷에서 아이디 말고 진짜 이름, 실명을 써야 한다고 생각해요. 자신의 이름이 아니니까 인터넷에 글을 쓸 때 심한 말을 함부로 하거나 거짓말을 하는 사람이 많은 것 같아요. 특히 연예인에게 악플을 다는 사람들이 정말 많아요.

주노: 악플이 심각한 문제이긴 해요. 하지만 저는 인터넷 실명제는 효과적인 해결책이 아니라고 생각해요. 오히려 인터넷 실명제 때문에 부작용이 생기는 거 아닐까 해요. 자유롭게 글을 쓰는 분위기가 사라질 수 있잖아요.

1) 인터넷 실명제는 무엇입니까?

2) 인터넷 실명제에 대한 안나와 주노의 의견은 무엇입니까?

⊕ 더 알아봐요

'선플'과 '악플'

○ 선플: 좋다는 의미의 한자어 '선(善)'과 댓글을 의미하는 '리플라이(reply)'가 합쳐진 말이다.

○ 악플: 나쁘다는 의미의 한자어 '악(惡)'과 댓글을 의미하는 '리플라이(reply)'가 합쳐진 말이다.

대화 속 문법

운동을 안 해서 살이 찐 거 아닐까 해요.
아직까지 잠을 자고 있는 거 아닐까 해요.

-는/(으)ㄴ 거 아닐까 하다

앞에 나오는 자신의 생각이나 의견을 확실하지 않은 것처럼 약하게 표현할 때 쓴다.

1. 다음 문장을 '-는/(으)ㄴ 거 아닐까 하다'를 사용해서 말해 보십시오.

1) 컴퓨터 게임을 많이 해서 성적이 떨어졌다.

　　　　　　　　　　　　　　　　　　　　　　　　　　.

2) 현재의 삶에 만족할 때 행복을 느낄 수 있다.

　　　　　　　　　　　　　　　　　　　　　　　　　　.

3) 내 주장의 근거가 부족해서 그를 설득하지 못했다.

　　　　　　　　　　　　　　　　　　　　　　　　　　.

발음 🔊	효과 → [효과/효꽈]	'효과', '관건', '불법' 등에서 뒤에 오는 'ㄱ'과 'ㅂ'은 [ㄱ], [ㅂ]으로 발음할 수도 있고, [ㄲ], [ㅃ]으로 발음할 수도 있다.	▷ 다음을 읽어 볼까요? • 초등학교 앞에 주차를 하는 것은 **불법이다.** • 오늘 경기의 **관건은** 두 감독의 전략이다.

어휘와 표현

찬성과 반대

찬성하다	동의하다	반대하다
맞다	틀리다	
적절하다	부적절하다	
장점이 있다	단점이 있다	
부작용이 생기다		

1. 알맞은 말을 골라 문장을 완성해서 말해 보십시오.

1) 하루 종일 날씨가 맑다. 오후부터 비가 올 것이라는 일기 예보가 ....

2) 이 집은 시끄럽기는 하지만 학교가 가깝다는 ....

3) 요즘은 날씨가 시원하고 덥지 않아서 등산하기에 ....
시기이다.

4) 정책에 .... 사람들을 설득하는 것은 어려운 일이다.

2. 다음과 같은 규칙을 정하는 것에 대해 어떻게 생각합니까? 다음의 문제에 대해 의견을
이야기해 보십시오.

> 버스나 지하철에서 커피 같은 음료수를
> 마시다가 다른 사람에게 피해를 주는
> 경우가 있습니다. 음료수를 들고 있는
> 사람은 버스나 지하철을 탈 수 없도록
> 하는 것에 대해 어떻게 생각하십니까?

읽고 쓰기

1. 다음 글을 읽고 질문에 답하십시오.

최근 어린이를 데리고 온 손님은 들어오지 못하게 하는 식당이나 카페가 늘어나고 있다. 과거 한 식당에서 가게 안을 뛰어다니던 어린이 손님이 종업원과 부딪혀 화상을 입었는데, 식당 주인과 종업원이 어린이 손님의 병원비를 모두 물어 줘야 하는 사건이 있었다. 이 일을 계기로 어린이 출입을 금지하는 식당과 카페가 점점 늘어나고 있는 것이다. 이들은 어린이들이 뛰어다니거나 큰 소리로 떠들어서 다른 손님들에게 피해를 줄 수 있다고 주장하고 있다. 앞으로도 어린이 금지 식당이나 카페가 늘어날 것으로 보여 이에 대한 논란이 커질 것으로 보인다.

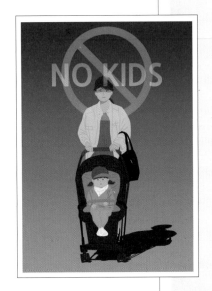

└, 식당에서 뛰어다니거나 떠드는 어린이는 일부일 뿐이라고 생각합니다. 부모님들이 아이들을 잘 가르치면 아이들은 식당에서 남에게 피해를 주는 행동을 하지 않습니다. 일부의 사람들 때문에 어린이 출입을 금지하는 것은 너무하는 거 아닐까 합니다.

5월 4일 오후 2시 35분. 아이디: 푸른하늘

└, 가게에 어린이 손님을 들어오게 할지 말지는 가게 주인이 선택하는 문제라고 생각합니다. 가게에 어린이 손님을 못 오게 하면 가게 주인의 입장에서는 손님이 줄어들 수도 있어요. 손님이 줄어들어도 어린이 손님을 금지하는 것은 다 이유가 있지 않을까 합니다. 아이들을 데리고 갈 수 있는 식당도 많으니까 어린이를 데리고 가려는 손님들은 그런 곳에 가면 되지 않을까요?

5월 4일 오후 2시 37분. 아이디: 커피사랑

1) 이 글은 무엇에 대한 글입니까?

2) '푸른하늘'과 '커피사랑'의 의견은 무엇입니까? 그렇게 생각하는 이유는 무엇입니까?

• 푸른하늘 :

• 커피사랑 :

위의 인터넷 기사와 댓글을 여러분 나라 말로 번역해 보십시오.

• 친구와 모둠을 이루어 기사, 댓글 1, 댓글 2를 나누어 번역해 보십시오.
• 친구가 번역한 것을 확인해 보십시오.

2. 여러분은 어린이 손님의 출입을 금지하는 것에 대해 찬성합니까? 반대합니까?
이 기사에 댓글로 의견을 써 보십시오.

　　└→

　　└→

　　└→

자기 점검

1. 찬성과 반대 의견을 표현할 수 있어요?
2. 찬성과 반대 의견의 이유를 말할 수 있어요?

11

10년 후엔
행복한 가정을
이루고 있지 않을까
싶어요

자신의 인생 계획을
서술할 수 있다.

어휘와 표현
인생 계획

문법
-지 않을까 싶다,
-기보다는

S 4B
11

❶ 여러분은 어떤 인생 계획을 가지고 있습니까?

❷ 한국 사람들이 평균적으로 어떤 일을 하는 연령입니다.
여러분 나라에서는 어떻습니까?

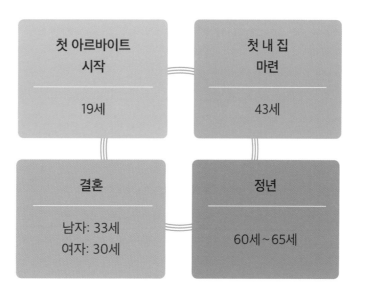

첫 아르바이트 시작	첫 내 집 마련
19세	43세

결혼	정년
남자: 33세 여자: 30세	60세 ~ 65세

문법

-지 않을까 싶다

미래의 불확실한 계획이나
상황을 표현할 때 쓴다.

저는 5년 후에 사업을 시작할 것 같아요.

▶ 저는 5년 후에 사업을 시작하지 않을까 싶어요.

아무래도 작년보다 지원자가 많을 것 같습니다.

▶ 아무래도 작년보다 지원자가 많지 않을까 싶습니다.

---

1. 다음과 같이 대화를 완성해서 말해 보십시오.

유학이 끝난 후에는 어떻게 할 생각이에요?

 바로 고향으로 돌아가야 하지 않을까 싶어요.

(바로 고향으로 돌아가다)

1) 가 : 내년에는 어떤 계획이 있어요?

　　나 : _____ . (회사를 옮기다)

2) 가 : 소포가 언제쯤 도착할까요?

　　나 : _____ . (내일이면 도착하다)

3) 가 : 뭘 공부해 보고 싶어요?

　　나 : _____ . (세계사를 공부하면 좋다)

4) 가 : 여행 가서 탈 차는 미리 예약했어요?

　　나 : 아니요. _____ . (가서 알아봐도 되다)

5) 가 : 면접 잘 봤어요?

　　나 : 아니요. 아무래도 _____ . (합격하기 힘들다)

2. 내년 계획이나 내년에 생길 것 같은 상황에 대해 이야기해 보십시오.

내년에는 취직 준비를 하느라고 많이 바쁘지 않을까 싶어요.

듣고 읽기

1. 다음 대화를 잘 듣고 질문에 답하십시오.

1) 안나 씨는 한 달 뒤에 어떤 계획이 있습니까?

2) 들은 내용과 같으면 ○, 다르면 × 표시를 하십시오.

① 유진은 아르바이트 한 돈으로 한국에 가려고 한다. (　　)

② 안나는 졸업 후에 한국에서 살게 되었다. (　　)

2. 다음 글을 읽고 질문에 답하십시오.

우리의 빛나는 30대

주변 친구들이 하나둘씩 취업을 하고 결혼을 하며 안정적인 인생을 시작하는 30대. 그런데 30대의 인생은 정말 그게 다일까? 이 책에서는 조금은 색다른 30대의 인생을 보여 준다.

• 조금 늦은 나이에 대학에 입학한 34세 신입생 '도윤 씨'

• 회사를 그만두고 자유로운 삶을 살기 위해 돈을 최대한 모으고 있는 38세 '하민 씨'

• 졸업 후에 취업 대신 세계 여행을 떠난 32세 '지예 씨'

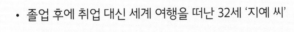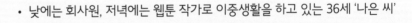

• 낮에는 회사원, 저녁에는 웹툰 작가로 이중생활을 하고 있는 36세 '나은 씨'

이 책은 네 사람의 다양한 인생 이야기를 통해 세상의 기준이 아닌 자신의 기준대로 인생을 사는 방법에 대해 이야기하고 있다. 이미 늦었다고 생각하며 도전을 두려워하고 있다면 반드시 이 책을 읽어 봐야 하지 않을까 싶다.

1) 이 책에는 어떤 사람들의 이야기가 나옵니까?

2) 이 책은 어떤 사람들이 읽으면 좋겠습니까?

대화

02

① 더 알아봐요

시간 관련 표현

○ 시간이 빠르다
○ 시간이 흐르다
○ 시간이 순식간에 지나다
○ 시간이 눈 깜빡할 사이에 지나다

① 더 알아봐요

'한창'

'한창'은 어떤 일이 가장 활발하게
일어나는 때를 말할 때 사용한다.

○ 지금은 한창 놀 때예요.
○ 지하철 공사가 한창 진행
　중이에요.

1. 인생 계획에 대해 대화를 나누고 있습니다. 어떤 계획인지 이야기해 보십시오.

유진: 벌써 세종학당 졸업도 가까워지고, 시간 정말 빠르네요. 10년 후의
　　　우리는 어떤 모습일까요?

안나: 음. 저는 10년 후면 결혼해서 행복한 가정을 이루고 있지 않을까 싶어요.
　　　민호 씨는 어떨 것 같아요?

민호: 저는 그때쯤이면 일 때문에 한창 바쁘게 지내고 있지 않을까 싶어요.
　　　그래도 너무 일만 하기보다는 취미 생활도 즐기면서 재미있게 살 거예요.
　　　유진 씨는요?

유진: 저는 돈을 열심히 모아서 10년 후에 큰 한국 식당을 창업할 거예요.

안나: 멋지네요. 지금 이야기한 것들이 모두 이루어졌으면 좋겠어요.

민호: 이루어질 거예요. 우리 10년 후에도 이렇게
　　　만나서 지금을 추억해요.

1)　안나 씨는 어떤 인생 계획을 가지고 있습니까?

2)　민호 씨는 어떤 인생 계획을 가지고 있습니까?

3)　유진 씨는 어떤 인생 계획을 가지고 있습니까?

대화 속 문법

-기보다는

앞에 나오는 내용이 아니라
뒤에 나오는 내용을
선택함을 나타낼 때 쓴다.

저는 졸업하면 일을 시작하기보다는 대학원에 진학하고 싶어요.
약만 먹기보다는 병원에 한번 가 보는 게 어때요?

1. 다음 질문에 대해 '-기보다는'을 사용해서 대답해 보십시오.

1)　친구한테 보통 전화를 해요? 메시지를 보내요?

　　.. .

2)　쇼핑하는 게 즐거워요? 귀찮아요?

　　.. .

3)　화가 나는 일이 있을 때 직접 말해요? 혼자 참아요?

　　.. .

어휘와 표현

인생 계획

진학하다	독립하다

입사하다	창업하다	도전하다

가정을 이루다	출산하다	아이를 기르다

은퇴하다	노후를 보내다

1. 알맞은 말을 골라 문장을 완성해서 말해 보십시오.

1) 저는 한국어를 열심히 공부해서 한국계 회사에 .... 거예요.

2) 내년에는 지금 하고 있는 일을 그만두고 새로운 일에 .... :

3) 졸업하면 친구들하고 온라인 쇼핑몰을 .... 생각이에요.

4) 나이가 들면 시골로 내려가서 조용한 .... :

5) 60세에 회사를 .... 봉사 활동을 하면서 살고 싶습니다.

6) 졸업하면 부모님에게서 경제적으로도 완전히 .... 거예요.

2. 여러분은 미래에 어떤 모습일까요? 다음과 같이 이야기해 보십시오.

1) 5년 후
입사하다
창업하다

2) 10년 후
새로운 일에 도전하다
가정을 이루다

> 저는 5년 후쯤이면 창업을 하기보다는 입사한 회사를 열심히 다니고 있지 않을까 싶어요.

쓰고 말하기

1. 여러분은 앞으로 어떻게 살고 싶습니까? 여러분의 인생 계획을 써 보십시오.

10년 후

⇩

20년 후

⇩

30년 후

⇩

40년 후

인생 계획을 여러분 나라의 말로 통역해 보십시오.

- 친구를 한 명씩 맡으십시오.
- 그 친구의 인생 계획을 통역해 보십시오.
- 친구들과 함께 이야기해 보고 맞는지 확인해 보십시오.

2. 친구들에게 여러분의 인생 계획을 발표해 보십시오.

저는 10년 후에는 지금 다니는 회사를 그만두고 새로운 일에 도전해 볼 생각입니다. 그때쯤이면 사회 경험이 많이 쌓여서 다른 일도 잘할 수 있지 않을까 싶습니다. 그래서 저는 ….

자기 점검

1. 시기에 맞는 계획을 말할 수 있어요?
2. 자신의 인생 계획을 서술할 수 있어요?

12

벌써
졸업을 한다니!
믿기지가
않습니다

졸업 소감을
말할 수 있다.

어휘와 표현
심정과 소감

문법
-는다니/ㄴ다니/다니,
-기를 바라다

❶ 이 사람들은 무엇을 하고 있습니까?

❷ '졸업' 하면 생각나는 것이 무엇입니까? 여러분 나라의 졸업
문화도 한국과 비슷합니까?

문법

-는다니/ㄴ다니/다니

앞에 나오는 뜻밖의 내용에 대해 놀라움이나 감탄을 표현할 때 쓴다.

벌써 졸업을 한다고요? 시간이 정말 빠른 것 같습니다.

▶ 벌써 졸업을 한다니! 시간이 정말 빠른 것 같습니다.

이걸 손수 만들었다고요? 실력이 정말 대단하네요.

▶ 이걸 손수 만들었다니! 실력이 정말 대단하네요.

---

1. 다음에서 알맞은 말을 골라 문장을 완성해서 말해 보십시오.

| 벌써 10년이 지났다 | 여기가 이렇게 많이 변했다 | 사람이 이렇게 빨리 헤엄치다 |

| 집 근처에 이렇게 좋은 곳이 있었다 | 내가 이렇게 맛있는 요리를 만들다 |

> 벌써 10년이 지났다니! 시간이 정말 빠르네요.

1) _____! 사람인지, 물고기인지 제 눈을 믿을 수가 없네요.

2) _____! 제가 너무 오랜만에 왔나 봐요.

3) _____! 저도 요리에 재능이 있는 거 맞죠?

4) _____! 여기를 지금까지 왜 몰랐을까요?

2. 다음과 같은 상황에서는 어떻게 이야기할까요? 다음과 같이 이야기해 보십시오.

세상에서 가장 아름다운 풍경을 보았다. → 세상에 이렇게 아름다운 곳이 있다니!

1) 내가 좋아하는 연예인을 길에서 만났다.

2) 초등학교 때 친구가 대통령이 되었다.

3) 10년 전에 잃어버렸던 물건을 찾았다.

읽고 듣기

1.

다음 대화를 읽고 질문에 답하십시오.

선생님

여러분, 모두 잘 들어갔어요? 저는 지금 막 집에 들어왔어요. 멋진 공연을 해 준 모두에게 고맙다는 말을 하고 싶어요. 한 달 동안 공연 준비하느라고 정말 고생 많았어요.

안나

선생님도 고생 많으셨어요. 우리가 한 달 동안 열심히 준비했던 공연이 끝났다니! 조금 슬프기도 하고 좋기도 하고 그러네요.

진

우리 모두 오늘 정말 멋있었어요. 공연은 끝났지만 공연 준비하면서 쌓았던 추억은 영원히 잊지 못할 거예요.

해리

모두들 고생 많으셨습니다. 그런데 내일부터는 매일 하던 공연 연습이 없다니! 기분이 좀 이상하네요.

1) 오늘 이 사람들에게는 무슨 일이 있었습니까?

2) 이 사람들의 심정과 소감은 어떻습니까?

안나:

진:

해리:

2.

다음 방송을 잘 듣고 질문에 답하십시오.

01

⊕ 더 알아봐요

한국 라디오를 들을 수 있는 애플리케이션

○ KBS 콩

○ MBC 미니

○ SBS 고릴라

1) 이 사람에 대한 설명으로 맞는 것은 무엇입니까?

① 오늘만 특별 출연을 하게 되었다.
② 라디오에 처음으로 출연하게 되었다.
③ 오늘이 라디오 디제이로서 마지막이다.
④ 오늘부터 라디오 디제이를 맡게 되었다.

2) 이 사람의 심정과 소감으로 맞는 것을 다음에서 모두 골라 보십시오.

| 기쁘다 | 무섭다 | 긴장이 되다 | 당황스럽다 | 그립다 |

대화

1. 졸업 소감을 이야기하고 있습니다. 안나 씨의 심정과 소감이 어떤지 이야기해 보십시오.

안나: 여러분, 안녕하십니까? 저는 이번에 4단계를 끝으로 세종학당을 졸업하는 안나입니다. 처음 한국어를 배우기 시작했던 때가 엊그제 같은데, 벌써 졸업을 한다니! 믿기지가 않습니다. 지금 되돌아보면 즐거운 시간이었지만, 사실 8학기 동안 포기하고 싶었던 때도 많았습니다. 특히 과제가 너무 많을 때에는 솔직히 포기할까 생각도 했습니다. 끝까지 공부한 저와 우리 반 친구들 모두에게 박수를 쳐 주고 싶습니다. 저는 세종학당에서 한국 문화뿐만 아니라 우리 나라의 문화에 대해서도 깊이 생각해 보는 의미 있는 시간을 보냈던 것 같습니다. 이 자리를 빌려 열심히 가르쳐 주신 선생님들께 감사의 마음을 전하고 싶습니다. 부디 모두 건강하게 지내다가 언젠가 꼭 다시 만나기를 바라겠습니다.

1) 안나 씨의 소감과 심정은 어떻습니까? <u>모두</u> 찾아보십시오.

2) 안나 씨는 세종학당 공부가 어땠습니까?

⊕ 더 알아봐요

소감을 말할 때 많이 사용하는 표현

○ 이 자리를 빌려 감사의 말씀을 전합니다.
○ 부디 모두 ~하시기 바랍니다.

대화 속 문법

어린이와 같은 순수함을 잃지 않기를 바랍니다.
올해 좋은 일이 많이 생기길 바라.

-기를 바라다

앞에 나오는 내용이 일어나기를 희망한다는 것을 표현할 때 쓴다.

⊕ 더 알아봐요

바래요? 바라요!

맞춤법에 맞는 것은 아니지만 '바래요'라고 말하고 쓰는 경우가 많이 있다. 그러나 '바라요'가 맞춤법에 맞는 정확한 표현이다.

○ 행복하기 바래요. (×)
○ 행복하기 바라요. (○)

1. 다음 문장을 '-기를 바라다'를 사용해서 말해 보십시오.

1) 유진 씨가 이번 시험에 꼭 합격했으면 좋겠어요.

    ....

2) 부모님께서 건강하게 오래 사셨으면 좋겠습니다.

    ....

3) 이번 모임에 꼭 참석해 주세요.

    ....

| 발음 ◁)) | 저는 ∨
이번에 4단계를 끝으로 ∨
세종학당을 마치는 ∨
안나입니다. | 긴 문장은 의미 단위로 끊어서 말하면 더 자연스럽다. | ▷ 다음을 읽어 볼까요?
• 어렸을 때는 ∨ 연습하는 게 힘들어서 ∨ 야구가 별로 즐겁지 않았는데 ∨ 요즘에는 다시 하고 싶더라고요.
• 이 자리를 빌려 ∨ 열심히 가르쳐 주신 선생님들께 ∨ 진심으로 감사하다는 말씀을 ∨ 드리고 싶습니다. |

어휘와 표현

심정과 소감

믿기지 않다	그립다	아쉽다
홀가분하다	시원섭섭하다	눈물이 앞을 가리다
꿈만 같다	마음이 설레다	마음이 따뜻해지다
몸 둘 바를 모르겠다	걱정이 앞서다	부담스럽다

1. 알맞은 말을 골라 문장을 완성해서 말해 보십시오.

1) 프로젝트가 끝나고 나니까 .... 날아갈 것 같아요.

2) 그렇게 칭찬을 해 주시니까 너무 부끄러워서 ....

3) 내가 상을 받다니! .... 이게 진짜인지 믿을 수가 없어요.

4) 앞으로 대학 생활을 어떻게 할지 ....
   제가 잘할 수 있을까요?

5) 다시는 그 친구의 모습을 볼 수 없다니. ....
   그 친구가 그리울 거예요.

6) 공연이 끝나니까 .... 공연 연습을 안 하는 것은 좋은데
   이제 끝이라고 생각하니까 아쉬워요.

2. 여러분이 최근에 느낀 심정이나 소감을 이야기해 보십시오. 그리고 친구의 이야기를
듣고 친구에게 바라는 것을 이야기해 주십시오.

원하던 곳에 취직을 했어요.
정말 꿈만 같아요.

축하해요. 회사에서 잘
지내기를 바라요.

쓰고 말하기

1. 세종학당 졸업을 앞둔 여러분의 소감은 어떻습니까? 소감을 써 보십시오.

1) 여러분의 심정은 어떻습니까?

2) 세종학당을 다니면서 가장 기억에 남는 일은 무엇입니까?

3) 세종학당을 다니면서 좋았던 것과 어려웠던 것은 무엇입니까?

4) 위의 내용을 바탕으로 졸업 소감을 써 보십시오.

2. 여러분이 쓴 글을 바탕으로 졸업 소감을 발표해 보십시오.

....

....

....

....

....

....

....

....

....

....

 다른 친구의 심정과 소감을 들으면서 여러분 나라 말로 통역해 보십시오.

• 짝에게 졸업 소감을 한 문장씩 말해 주십시오.
• 짝의 졸업 소감을 여러분 나라의 말로 통역해 보십시오.

자기 점검

1. 심정과 소감을 말할 수 있어요?
2. 졸업 소감을 말할 수 있어요?

부록

듣기
지문
4B

01 🔊 뭐든지 적극적인 데다가 유머 감각도 있어요

듣고 말하기 | 1번 | 15쪽

다음 대화를 잘 듣고 질문에 답하십시오.

해리: 자, 우리도 이 질문지를 좀 해 볼까? 우선 첫 번째, 유진 너는 어때? '무언가를 할 때 사람들과 함께 하는 것을 좋아한다', 아니면 '혼자 하는 것을 좋아한다' 둘 중에 어느 쪽이야?

유진: 음. 나는 '혼자 하는 것을 좋아한다'가 맞는 것 같아. 그런데 해리 너는 반대쪽이지? 해리는 사람들하고 어울리는 것을 좋아하는 것 같은데.

해리: 응. 나는 혼자 하는 것보다는 다른 사람들하고 함께 하는 것을 더 좋아하는 것 같아. 그래서 취미 활동을 할 때에도 동호회에 가입부터 하는 편이야. 다른 사람들하고 같이 하면 여러 가지 정보도 많이 얻을 수 있는 데다가 취미 활동도 더 즐겁게 할 수 있는 것 같아서.

유진: 응. 그렇구나. 나는 그 반대야. 나는 혼자서 하는 게 편하더라. 혼자서 여행도 잘 가고, 혼자서 영화도 보고 음악도 듣고. 그렇게 시간을 보내는 게 좋아.

대화 | 1번 | 16쪽

민호 씨의 동생에 대해 대화를 나누고 있습니다. 동생은 어떤 사람인지 이야기해 보십시오.

안나: 민호 씨는 동생이 있다고 했지요?

민호: 네. 저보다 두 살 어린 동생이 있어요.

안나: 동생도 민호 씨하고 비슷해요?

민호: 저하고 생긴 건 닮았는데 성격은 좀 반대예요. 저는 사람들 앞에서 부끄러움을 많이 타고 내성적인 편이거든요. 그런데 걔는 좀 외향적인 성격이에요.

안나: 외향적인 성격이면 사람들 사귀는 것을 좋아하겠네요.

민호: 네. 그런 편인 것 같아요. 그리고 뭐든지 적극적인 데다가 유머 감각도 있어서 사람들한테 인기가 많은 것 같더라고요.

02 🔊 처음 만났을 때는 얌전한 성격인 줄 알았거든

듣고 말하기 | 1번 | 23쪽

다음 대화를 잘 듣고 질문에 답하십시오.

안나: 진 씨, 주말에 소개팅했다면서요? 어땠어요?

진: 괜찮았어요. 그래서 곧 또 만나기로 했어요.

안나: 그래요? 잘됐네요. 첫인상이 어땠는데요?

진: 음. 사실 처음 만났을 때에는 분위기가 조금 딱딱했어요. 그 친구가 좀 말이 없고 조용한 성격이더라고요. 그래서 대화가 잘 안 될 줄 알았거든요. 그런데 이런저런 얘기를 하다 보니까 저하고 좋아하는 것도 비슷하고 그래서 말이 잘 통하더라고요.

안나: 좋은 사람을 만났다니까 다행이네요.

대화 | 1번 | 24쪽

안나의 성격에 대해 이야기하고 있습니다. 안나는 어떤 사람인지 이야기해 보십시오.

남자: 안나, 이번에 케이팝(K-POP) 댄스 대회에 나간다면서? 춤을 언제부터 배웠어?

안나: 춤을 따로 배우지는 않았어. 그냥 내가 춤추는 걸 좋아해서 어렸을 때부터 좋아하는 가수의 춤 영상을 따라 하면서 연습했지.

남자: 그래? 대단하네. 사실 안나 네 성격이 내가 생각하던 것하고 많이 달라서 놀랐어. 처음에 널 만났을 때는 말이 없고 얌전한 성격인 줄 알았거든.

안나: 그렇구나. 내가 첫인상하고 많이 다르다고 얘기하는 사람들이 많더라고. 사실 나는 아주 활발하고 사교적인데 첫인상은 그 반대라고 생각하는 사람이 많아.

03 🔊 사업을 시작할까 아니면 회사에 취직할까 고민이야

듣고 말하기 | 1번 | 31쪽

다음 대화를 잘 듣고 질문에 답하십시오.

안나: 해리 씨, 왜 이렇게 얼굴이 안 좋아요?

해리: 어제 잠을 잘 못 잤어요. 제가 요즘에 계속 그래요. 잠이 너무 안 와서 그냥 일어나서 책을 읽을까 아니면 계속 누워 있을까 고민하다 보면 아침이에요. 어떻게 하면 잠을 푹 잘 수 있을까요?

안나: 혹시 요즘 스트레스를 받는 일이 많이 있어요?

해리: 음. 그렇지는 않아요. 특별히 스트레스 받는 일은 없는데요.

안나: 음. 저도 예전에 별 이유도 없이 밤에 잠이 안 와서 고생한 적이 있었는데요. 그때 제일 효과적이었던 것이 낮에 햇빛을 쬐면서 산책을 하는 것이었어요. 해리 씨도 낮에 잠깐이라도 시간을 내서 산책을 해 보는 게 어때요?

해리: 산책이 좋다는 건 저도 들은 것 같아요. 오늘부터 안나 씨 말대로 산책을 좀 해 봐야겠네요.

| 대화 | 1번 | 32쪽 |

고민을 상담하는 대화 내용입니다. 무엇에 대한 고민인지 이야기해 보십시오.

마리: 이제 곧 대학 졸업하지? 졸업 후에는 뭘 할 거야?

유진: 음. 아직 잘 모르겠어. 사실 내가 그것 때문에 고민이 좀 많아.

마리: 아직 졸업 후 진로를 결정하지 못했나 보구나.

유진: 응. 작은 사업을 시작해 볼까 아니면 회사에 취직할까 고민 중이야. 사업을 하기에는 아직 경험이 너무 없는 것 같고 그래서 그냥 취직을 할까 하는데 이게 맞는 건지…. 어떻게 하는 게 좋을까?

마리: 일단 회사 다니면서 사업에 대해서는 천천히 생각해 보지 그래? 나도 졸업할 때쯤에 너하고 비슷한 고민을 했었거든. 결국은 지금처럼 회사에 취직하는 것으로 결정을 했어. 회사에서 여러 경험을 해 보는 것이 나중에 사업을 할 때 더 도움이 될 것 같더라고.

04 🔊 그때 그 꿈을 포기하지 말았어야 했는데

| 듣고 읽기 | 1번 | 39쪽 |

다음 대화를 잘 듣고 질문에 답하십시오.

유진: 어른이 되니까 어렸을 때 책을 많이 읽었어야 했는데 하는 생각이 자주 들어.

안나: 맞아. 부모님이 책 읽으라고 항상 잔소리를 하셨는데 그때는 이해하기 힘들었거든. 근데 이제는 알 것 같아. 책에서 배우는 지식과 경험이 정말 소중하다는 것을.

유진: 응. 책을 많이 읽었다면 어휘력도 지금보다 풍부해졌을 텐데 아쉬워. 그런데 나이가 드니까 책 읽을 시간이 더 없네.

안나: 그래도 나중에 후회하지 않으려면 지금이라도 책 읽는 습관을 들여야겠어.

| 대화 | 1번 | 40쪽 |

마리 씨와 재민 씨가 대화를 나누고 있습니다. 무엇에 대한 대화인지 이야기해 보십시오.

마리: 재민 씨, 고등학교 때까지 야구 선수로 활동했다면서요? 그런데 왜 야구를 계속하지 않았어요?

재민: 운동하다가 어깨를 다쳤는데 재활 훈련이 너무 힘들더라고요. 그래서 그냥 포기했어요.

마리: 그랬군요. 계속 했으면 좋은 선수가 되었을 텐데.

재민: 네. 요즘도 야구 선수로 활약하는 친구들을 보면 부러워요. 그때 꿈을 포기하지 말았어야 했는데 너무 쉽게 포기했나 봐요.

마리: 야구 선수가 되는 것은 포기했지만 취미로 야구를 계속 해 보고 싶은 마음은 없어요?

재민: 안 그래도 요즘 그럴까 생각 중이에요. 어렸을 때는 연습하는 게 힘들어서 야구가 별로 즐겁지 않았는데 요즘에는 다시 하고 싶더라고요.

05 🔊 40대는 청소년들에 비해서 결혼을 해야 한다는 응답이 많았습니다

| 듣고 말하기 | 1번 | 47쪽 |

다음 대화를 잘 듣고 질문에 답하십시오.

수지: 진 씨는 부모님과 대화가 잘 통해요?

진: 네. 그런 것 같아요. 우리 부모님은 젊은 사람들을 많이 이해해 주시는 편이에요. 수지 씨는 어때요?

수지: 저도 대체로 부모님과 대화가 잘 통하는 편인데 가끔 아닐 때도 있어요. 우리 부모님은 제가 줄임말을 너무 많이 쓴다고 싫어하세요.

진: 그래요? 저희 부모님은 저보다 줄임말을 더 많이 쓰시는데요, 비밀번호는 '비번'이라고 하고, 생일 선물을 '생선'이라고 하시더라고요.

수지: 저희 엄마는 제가 줄임말을 쓸 때마다 그게 무슨 뜻이냐고 물어보세요. 그래서 알려 드리면 어른들하고 말이 안 통한다고 줄임말을 쓰지 말라고 하세요. 저는 줄임말을 쓰면 재미도 있고 더 편하게 말할 수 있어서 좋은 것 같은데요.

| 대화 | 1번 | 48쪽 |

결혼에 대한 세대 차이를 이야기하고 있습니다. 세대별로 어떤 차이가 있는지 이야기해 보십시오.

아나운서: 세대별로 결혼에 대해 어떻게 생각하는지를 조사하였다고 합니다. 김세종 기자, 결과는 어땠습니까?

기자: 10대 청소년들의 경우 결혼을 반드시 해야 한다고 답한 사람이 28% 정도였습니다. 그러나 40대와 50대는 10대 청소년들에 비해서 결혼을 해야 한다는 응답이 더 많았습니다. 40대와 50대는 각각 42%, 56%가 결혼은 반드시 해야 한다고 답했습니다. 그리고 60세 이상의 노인들은 71%가 결혼을 해야 한다고 답했습니다. 60세 어르신의 생각을 들어 보았습니다.

노인: 결혼은 꼭 해야지요. 좋은 사람 만나서 아이도 낳고 행복하게 사는 것이 인생 아니겠어요?

06 🔊 식당에서 직원을 어떻게 부르는지 알아요?

듣고 말하기 | 1번 | 55쪽

다음 대화를 잘 듣고 질문에 답하십시오.

여자: 프랑스에서 토마토주스를 어떻게 마시는지 알아?

남자: 그게 무슨 말이야? 토마토주스를 마시는 방법이 따로 있어?

여자: 응. 프랑스에서 비행기를 탔는데 토마토주스랑 소금을 함께 주더라? 주위를 둘러보니까 사람들이 토마토주스에 소금을 넣고 섞어서 마시는 거야. 정말 신기했어.

남자: 그래? 재미있네. 그럼 토마토주스에서 짠맛이 나겠네?

여자: 응. 사람들은 그렇게 마셔야 맛있다고 하는데 나한테는 좀 짜더라.

대화 | 1번 | 56쪽

문화 차이에 대해 대화를 나누고 있습니다. 진 씨가 경험한 것을 이야기해 보십시오.

안나: 진 씨, 서울에 출장 다녀왔다면서요?

진: 네. 그런데 식당에서 재미있는 일이 있었어요. 삼겹살을 주문했는데 종업원이 고기를 집게로 집어 가위로 잘라 주더라고요.

안나: 가위로요? 재미있네요. 우리 나라에서는 보통 접시 위에 놓고 칼로 자르는데.

진: 그러니까요. 그리고 신기한 게 또 있었어요. 한국 식당에서 필요한 게 있을 때 직원을 어떻게 부르는지 알아요?

안나: '여기요!'라고 부른다고 배운 것 같은데, 아니에요?

진: 그렇게도 부르는데요. 탁자 위에 호출 벨이 붙어 있는 경우가 많더라고요. 벨을 누르면 소리를 듣고 직원이 오는 거죠.

안나: 그거 편하겠네요. 직원이 안 보여도 기다릴 필요가 없잖아요.

07 🔊 저는 하늘길을 관리하는 일을 합니다

듣고 말하기 | 1번 | 63쪽

다음 대화를 잘 듣고 질문에 답하십시오.

안나: 로라 씨는 나중에 어떤 일을 하고 싶어요?

로라: 저는 춤을 배우기 시작한 지 얼마 안 됐지만 열심히 해서 나중에 유명한 안무가가 되고 싶어요.

안나: 안무가요? 노래에 어울리는 춤을 만드는 사람을 말하는 거예요?

로라: 네. 맞아요. 안무가는 공연을 직접 연출하기도 하고, 영화나 광고에 필요한 몸동작을 만들기도 해요. 저는 다양한 분야에서 활동하는 안무가가 되고 싶어요.

대화 | 1번 | 64쪽

직업에 대해 대화를 나누고 있습니다. 어떤 일을 하는지 이야기해 보십시오.

진행자: 여러분은 혹시 '관제사'라는 직업에 대해 알고 계시나요? 오늘은 22년 동안 관제사로 일하고 있는 이은주 팀장님과 이야기 나누어 보도록 하겠습니다.

이은주: 안녕하세요? 인천국제공항에서 근무하는 관제사 이은주입니다.

진행자: 관제사는 구체적으로 어떤 일을 하는 직업인가요?

이은주: 관제사는 하늘길을 관리하는 일을 합니다. 하늘에도 땅에서처럼 비행기가 다니는 길이 있거든요. 관제사는 비행기가 빠른 길을 갈 수 있도록 안내하고, 안전하게 착륙하는 데에 도움을 주는 일을 합니다.

진행자: 하늘에도 길이 있다는 게 신기하네요. 그렇다면 관제사가 되기 위해 가장 필요한 능력은 무엇일까요?

이은주: 정확한 판단력을 갖추는 게 가장 중요한 것 같습니다. 그런데 20년 넘게 일하다 보니 순발력도 그에 못지않게 중요한 것 같습니다.

08 🔊 삶에 대한 가르침을 줬다는 점에서 존경을 받습니다

듣고 읽기 | 1번 | 71쪽

다음 뉴스를 잘 듣고 질문에 답하십시오.

아나운서: 우리나라 직업 중에서 가장 존경받는 직업은 무엇일까요? 바로 소방관인데요. 소방관은 2001년부터 현재까지 계속해서 존경받는 직업 1위를 차지하고 있습니다. 소방관이 이처럼 존경받는 이유는 재난 현장에서 보여 준 헌신적인 자세 때문인 것으로 분석됐습니다. 많은 사람의 생명을 구한다는 점에서, 그리고 목숨을 걸고 우리의 안전을 지켜 준다는 점에서 존경을 받는 것이지요. 이번 조사에서는 환경미화원이 2위, 의사가 3위에 올랐습니다. 의사가 1위, 판사와 검사가 공동 2위를 차지했던 20년 전과 비교하면 사람들의 생각이 많이 달라진 것을 확인할 수 있습니다.

대화 | 1번 | 72쪽

존경하는 인물에 대해 발표하고 있습니다. 민호 씨가 말하는 존경하는 인물에 대해 이야기해 보십시오.

민호: 오늘 제가 소개해 드릴 인물은 법정 스님입니다. 법정 스님은 한국의 승려이자 《무소유》라는 책을 쓴 수필 작가이기도 합니다. 원래 무소유는 가진 것이 없다는 뜻인데요. 법정 스님이 말하는 무소유는 아무것도 갖지 않는다는 것이 아니라 불필요한 것을 갖지 않는다는 뜻입니다. 욕심을 버리고 작은 것에도 고마워하고 만족할 줄 알아야 행복할 수 있다는 것이죠. 이분은 그런 '무소유'를 몸소 실천하면서 사신 분입니다. 평생 동안

4B —— 듣기 지문

무소유의 삶을 실천하신 결과 소박하고 검소한 삶의 본보기가 되신 분이죠. 이렇게 법정 스님은 삶에 대한 중요한 가르침을 줬다는 점에서 한국 사람들에게 많은 존경을 받는 분입니다.

---

09 🔊 갈수록 현금을 사용하는 사람들이 줄어들고 있습니다

| 듣고 말하기 | 1번 | 79쪽 |

다음 방송을 잘 듣고 질문에 답하십시오.

기자: 최근 혼자서 밥을 먹는 사람이 많아지면서 1인 식당이 많이 생기고 있습니다. 특히 대학가를 중심으로 1인 식당이 많아지고 있는데요, 1인 식당에서 파는 메뉴도 분식이나 패스트푸드 등 간단한 메뉴에서부터 보쌈, 삼겹살에 이르기까지 점점 다양해지고 있습니다. 그리고 편의점에서도 혼자 사는 사람들을 위한 도시락과 간편 요리 제품을 팔기 시작하였습니다. 음식을 배달시킬 때에도 원래 2인분 이상의 많은 양을 주문하지 않으면 배달을 잘 해 주지 않는 분위기가 있었는데요, 최근에는 1인분도 배달이 가능하게 되었습니다. 이처럼 혼자서 밥을 먹는 1인 가구가 증가할수록 이들을 위한 서비스가 다양해지고 있습니다.

| 대화 | 1번 | 80쪽 |

사회 변화에 대해 이야기하고 있습니다. 어떤 사회 변화가 있는지 이야기해 보십시오.

진행자: 간편 결제라는 말 들어 보셨습니까? 간편 결제는 현금이나 카드 없이 휴대폰으로 편리하게 결제하는 것을 말합니다. 이 간편 결제가 점점 늘어나고 있다는 소식입니다. 김세종 기자의 이야기 들어 보겠습니다.

김세종 기자: 조사 결과에 따르면 물건을 살 때 현금을 사용하는 사람이 크게 줄어들고 그 대신에 휴대폰 간편 결제를 이용하는 사람들이 2년 전에 비해 세 배 이상 늘어났다고 합니다. 과거에는 현금이나 카드를 가지고 다녀야 했으나 요즘은 휴대폰만 있으면 간편 결제를 사용해 물건을 살 수 있습니다. 방법이 편리한 데다가 다양한 할인도 받을 수 있어서 간편 결제를 이용하는 사람들이 갈수록 증가할 것으로 보입니다.

---

10 🔊 저는 인터넷에서 실명을 써야 한다고 생각해요

| 듣고 말하기 | 1번 | 87쪽 |

다음 대화를 잘 듣고 질문에 답하십시오.

안나: 요즘은 초등학생들도 대부분 휴대폰을 사용하는 것 같더라고요. 주노 씨는 어떻게 생각해요?

주노: 글쎄요. 저는 아이들이 아직 어리지만 그래도 휴대폰이 필요할 거라고 생각해요. 집에 급한 일이 생겼을 때 쉽게 연락할 수도 있고, 수업 시간에 모르는 것도 바로 찾아볼 수 있으니까요.

안나 씨 생각은 어떤데요?

안나: 저는 초등학생한테 휴대폰이 꼭 필요한 것 같지는 않아요. 너무 어릴 때부터 휴대폰을 사용하면 안 좋을 거 같은데요. 수업 시간에 책 대신에 휴대폰만 보거나 게임을 하는 문제가 생기지 않을까요? 그리고 아이들 눈도 나빠질 것 같아요.

| 대화 | 1번 | 88쪽 |

인터넷 실명제에 대해 이야기하고 있습니다. 인터넷 실명제에 대해 어떻게 생각하는지 이야기해 보십시오.

선생님: 여러분, 오늘은 인터넷 실명제에 대해서 이야기해 볼 거예요. 보통 인터넷에서는 자기의 진짜 이름 대신에 아이디라는 다른 이름을 사용해서 글을 쓰지요? 그런데 인터넷 댓글을 쓸 때 아이디를 사용하는 것에 대해서 찬성하는 사람도 있고, 반대하는 사람도 있을 거예요. 지금부터 그에 대한 의견을 이야기해 볼까요?

안나: 저는 인터넷에서 아이디 말고 진짜 이름, 실명을 써야 한다고 생각해요. 자신의 이름이 아니니까 인터넷에 글을 쓸 때 심한 말을 함부로 하거나 거짓말을 하는 사람이 많은 것 같아요. 특히 연예인에게 악플을 다는 사람들이 정말 많아요.

주노: 악플이 심각한 문제이긴 해요. 하지만 저는 인터넷 실명제는 효과적인 해결책이 아니라고 생각해요. 오히려 인터넷 실명제 때문에 부작용이 생기는 거 아닐까 해요. 자유롭게 글을 쓰는 분위기가 사라질 수 있잖아요.

---

11 🔊 10년 후엔 행복한 가정을 이루고 있지 않을까 싶어요

| 듣고 읽기 | 1번 | 95쪽 |

다음 대화를 잘 듣고 질문에 답하십시오.

유진: 안나, 한 달만 지나면 너는 한국에서 겨울을 보내고 있겠다, 그치?

안나: 그러네. 벌써 한 달밖에 안 남았네. 유진, 너도 방학 때 시간 있으면 꼭 놀러 와.

유진: 응. 아르바이트 열심히 해서 갈게. 이번에는 일단 6개월만 한국에서 지내보기로 한 거지?

안나: 응. 6개월 동안 어학연수 하면서 한번 살아 보고, 잘 맞으면 졸업 후에 한국 회사에 취직하려고. 취직이 잘 되면 쭉 한국에서 살지 않을까 싶어.

| 대화 | 1번 | 96쪽 |

인생 계획에 대해 대화를 나누고 있습니다. 어떤 계획인지 이야기해 보십시오.

유진: 벌써 세종학당 졸업도 가까워지고, 시간 정말 빠르네요. 10년 후의 우리는 어떤 모습일까요?

안나: 음. 저는 10년 후면 결혼해서 행복한 가정을 이루고 있지 않을까 싶어요. 민호 씨는 어떨 것 같아요?

민호: 저는 그때쯤이면 일 때문에 한창 바쁘게 지내고 있지 않을까 싶

어요. 그래도 너무 일만 하기보다는 취미 생활도 즐기면서 재미있게 살 거예요. 유진 씨는요?

유진: 저는 돈을 열심히 모아서 10년 후에 큰 한국 식당을 창업할 거예요.

안나: 멋지네요. 지금 이야기한 것들이 모두 이루어졌으면 좋겠어요.

민호: 이루어질 거예요. 우리 10년 후에도 이렇게 만나서 지금을 추억해요.

12 🔊 벌써 졸업을 한다니! 믿기지가 않습니다

읽고 듣기 | 2번 | 103쪽

다음 방송을 잘 듣고 질문에 답하십시오.

디제이: 여러분. 안녕하세요? 오늘부터 〈아름다운 오늘 밤〉 디제이를 맡게 된 신영입니다. 매일 밤 라디오를 통해 여러분들을 만날 수 있다니. 정말 너무 기쁩니다. 그렇지만 한편으로는 조금 긴장도 되네요. 라디오에 출연한 적은 여러 번 있지만 제가 이렇게 디제이를 맡은 것은 처음이니까요. 앞으로 좋은 음악 많이 들려 드리면서 여러분들의 밤을 더욱 아름답게 만들어 드릴게요.

대화 | 1번 | 104쪽

졸업 소감을 이야기하고 있습니다. 안나 씨의 심정과 소감이 어떤지 이야기해 보십시오.

안나: 여러분, 안녕하십니까? 저는 이번에 4단계를 끝으로 세종학당을 졸업하는 안나입니다. 처음 한국어를 배우기 시작했던 때가 엊그제 같은데, 벌써 졸업을 한다니! 믿기지가 않습니다. 지금 되돌아보면 즐거운 시간이었지만, 사실 8학기 동안 포기하고 싶었던 때도 많았습니다. 과제가 너무 많을 때에는 솔직히 포기할까 생각도 했습니다. 끝까지 공부한 저와 우리 반 친구들 모두에게 박수를 쳐 주고 싶습니다. 저는 세종학당에서 한국 문화뿐만 아니라 우리 나라의 문화에 대해서도 깊이 생각해 보는 의미 있는 시간을 보냈던 것 같습니다. 이 자리를 빌려 열심히 가르쳐 주신 선생님들께 감사의 마음을 전하고 싶습니다. 부디 모두 건강하게 지내다가 언젠가 꼭 다시 만나기를 바라겠습니다.

모범 답안

4B

1) 내일 만나든지 모레 만나든지 다 괜찮아요
2) 지하철을 타든지 버스를 타든지 상관없어요
3) 미술관에 가든지 박물관에 가든지 다 좋아요

어휘와 표현 1번 17쪽

1) 적극적이다 •————————• 어려운 일이 있을 때 앞에 나서서 그것을 해결하려고 한다.
2) 내성적이다 •   • 자신이 맡은 일을 끝까지 열심히 하려고 노력한다.
3) 자신감이 있다 •   • 다른 사람들 앞에서 말하거나 행동할 때 부끄러움을 잘 타지 않는다.
4) 책임감이 있다 •   • 혼자 있는 것을 좋아하고, 조용히 생각을 많이 하는 편이다.
5) 급하다 •   • 천천히 해도 큰 문제가 없다고 생각한다.
6) 느긋하다 •   • 뭐든지 빨리빨리 하려고 한다.

1) 적극적이다 ─ 어려운 일이 있을 때 앞에 나서서 그것을 해결하려고 한다.
2) 내성적이다 ─ 혼자 있는 것을 좋아하고, 조용히 생각을 많이 하는 편이다.
3) 자신감이 있다 ─ 다른 사람들 앞에서 말하거나 행동할 때 부끄러움을 잘 타지 않는다.
4) 책임감이 있다 ─ 자신이 맡은 일을 끝까지 열심히 하려고 노력한다.
5) 급하다 ─ 뭐든지 빨리빨리 하려고 한다.
6) 느긋하다 ─ 천천히 해도 큰 문제가 없다고 생각한다.

읽고 쓰기 1번 18쪽

1) 가족 관계

2)

인물	성격
이신재	성격이 급하고 화를 잘 냄.
나영희	밖에서는 조용하고, 집에서는 말이 많음.
정해미	자신감 있고 적극적임.
이준영	외향적인 성격임.
이은호	유머 감각이 있고, 외향적임.
이규호	소극적이고 내성적임. 성실함.

---

01   뭐든지 적극적인 데다가 유머 감각도 있어요

문법 1번 14쪽

1) 그 사람 •┄┄┄┄┄┄• 친절하다, 말을 재미있게 하다
2) 그 동네 •   • 과일을 싸게 팔다, 과일이 좋다
3) 그 과일 가게 •   • 속도가 빠르다, 디자인이 예쁘다
4) 그 가수 •   • 노래를 잘하다, 작사와 작곡을 잘하다
5) 그 컴퓨터 •   • 쇼핑할 곳이 많다, 맛집이 많다

2) 그 동네는 쇼핑할 곳이 많은 데다가 맛집도 많아요.
3) 그 과일 가게는 과일을 싸게 파는 데다가 과일도 좋아요.
4) 그 가수는 노래를 잘하는 데다가 작사와 작곡도 잘해요.
5) 그 컴퓨터는 속도가 빠른 데다가 디자인도 예뻐요.

듣고 말하기 1번 15쪽

1) ③
2) ①, ③

대화 1번 16쪽

1) 사람들 앞에서 부끄러움을 많이 타고 내성적인 편
2) 외향적인 성격
3) 뭐든지 적극적인 데다가 유머 감각도 있어서

---

02  처음 만났을 때는 얌전한 성격인 줄 알았거든

문법 1번 22쪽

1) 도서관이 문을 닫았을 줄 알았어요.
2) 선생님이 한국 사람인 줄 알았어요.
3) 숙제가 있는 줄 알았어요.
4) 오늘 날씨가 따뜻할 줄 알았어요.
5) 비빔밥이 맛없을 줄 알았어요.

1) 농구를 못 할 줄 알았는데 잘하네요.
2) 결혼하지 않을 줄 알았는데 결혼하네요.

1) ①
2) ① ×   ② ○

1) 말이 없고 얌전한 성격
2) 활발하고 사교적인 성격
3) 좋아하는 가수의 춤 영상을 따라 하면서 연습함.

1) 사용하던
2) 떠나던
3) 마시던

1) 차가운
2) 사교적인
3) 어두운
4) 낯을 가리지
5) 고집이 센

1) 차가운 사람인 줄 알았다.
2) ②

03 ✎ 사업을 시작할까 아니면 회사에 취직할까 고민이야

1) 주말에 집에서 쉬어? • --------- • 친구를 만나?
2) 치킨을 먹어? •   • 이제 그만 만나?
3) 버스를 타? •   • 저 옷을 입어?
4) 이 옷을 입어? •   • 피자를 먹어?
5) 그 사람을 계속 만나? •   • 택시를 타?

2) 치킨을 먹을까 피자를 먹을까 아직 결정 못 했어요.
3) 버스를 탈까 택시를 탈까 아직 결정 못 했어요.
4) 이 옷을 입을까 저 옷을 입을까 아직 결정 못 했어요.
5) 그 사람을 계속 만날까 이제 그만 만날까 아직 결정 못 했어요.

1) 밤에 잠을 잘 못 잠
2) 낮에 햇빛을 쬐면서 산책하기
3) ① ×   ② ×

1) 졸업 후 사업을 시작할까 회사에 취직할까 고민하고 있다.
2) 일단 취직을 한 후 사업에 대해서는 천천히 생각해 보기

1) 실력이 늘지 않아서
2) 업무량이 너무 많아서
3) 연애를 하고 싶어요
4) 진로를 정하지 못했어요
5) 인간관계가 어려워요
6) 미래가 불안해요

1) 피트니스 클럽에 다닐까 아니면 집에서 혼자 운동을 할까 고민하고 있다.
2) 첫 번째 조언: 피트니스 클럽은 잘 안 가게 되니까 집에서 혼자 운동하는 것이 낫다.
   두 번째 조언: 혼자서 운동을 하면 다칠 수도 있고, 무엇보다 혼자서는 꾸준히 하기 힘들기 때문에 피트니스 클럽을 다니는 게 낫다.

04 ✎ 그때 그 꿈을 포기하지 말았어야 했는데

2) 천천히 운전했어야 했는데 과속을 해서 교통사고가 났어요.
3) 일찍 일어났어야 했는데 늦잠을 자서 약속 시간에 늦었어요.
4) 조심했어야 했는데 계단에서 넘어져서 다리를 다쳤어요.
5) 우유를 냉장고에 넣었어야 했는데 밖에 두어서 우유가 상했어요.

1) 어렸을 때 책을 많이 읽지 않은 것
2) ④

1) 이름을 바꾼 것
2) ④

1) 운동하다가 어깨를 다쳤는데 재활 훈련이 너무 힘들어서

2) 후회하고 있다.

3) 어렸을 때는 연습하는 게 힘들어서 야구가 별로 즐겁지 않았는데 요즘에는 다시 하고 싶다.

대화 속 문법 | 1번 | 40쪽

1) 조금 일찍 왔으면 은행에서 볼일을 볼 수 있었을 텐데

2) 밖이 조용했으면 잠을 잘 잤을 텐데

3) 버스가 제시간에 왔으면 지각을 하지 않았을 텐데

어휘와 표현 | 1번 | 41쪽

1) 화를 참지 못하고

2) 기회를 놓치면

3) 신중하게 결정하지 못했어요

4) 실수를 저질러서

5) 최선을 다하지 못했다

6) 다른 사람에게 상처를 주지

 **05** 40대는 청소년들에 비해서 결혼을 해야 한다는 응답이 많았습니다

문법 | 1번 | 46쪽

1) 시골 − 도시 ·········· 공기가 깨끗하다
2) 노인 − 청년 ╲ ╱ 비타민 C가 풍부하다
3) 운동화 − 구두 ╳ 발이 편하다
4) 태블릿 − 핸드폰 ╱ ╲ 건강 문제에 관심이 많다
5) 귤 − 수박 ╱ 화면이 더 크다

2) 노인은 청년에 비해서 건강 문제에 관심이 많아요.

3) 운동화는 구두에 비해서 발이 편해요.

4) 태블릿은 핸드폰에 비해서 화면이 더 커요.

5) 귤은 수박에 비해서 비타민 C가 풍부해요.

듣고 말하기 | 1번 | 47쪽

1) ①

2) ① ○   ② ✕

대화 | 1번 | 48쪽

1) 세대별로 결혼에 대해 어떻게 생각하는지

2) • 10대: 결혼을 반드시 해야 한다고 답한 사람이 28% 정도
   • 40대와 50대: 결혼을 반드시 해야 한다고 답한 사람이 각각 42%, 56%
   • 60세 이상: 71%가 결혼을 해야 한다고 답함.

대화 속 문법 | 1번 | 48쪽

1) 연락을 해야지

2) 입어야지

3) 쉬어야지

어휘와 표현 | 1번 | 49쪽

1) 신세대

2) 노인

3) 청소년

4) 사춘기

5) 청년

읽고 쓰기 | 1번 | 50쪽

1) 다른 세대를 이해하려는 노력이 필요하다.

2) ④

 06 식당에서 직원을 어떻게 부르는지 알아요?

문법 | 1번 | 54쪽

1) 기차역에 어떻게 가는지 알아요

2) 캠핑 도구를 어디에서 파는지 알아요

3) 제주도에 뭐가 유명한지 알아요

4) 그 사람은 왜 회사를 그만뒀는지 알아요

5) 보고서 제출 마감일이 언제인지 알아요

듣고 말하기 | 1번 | 55쪽

1) ①

2) ① ○   ② ✕

대화 | 1번 | 56쪽

1) 가위

2) '여기요!'라고 부른다. / 탁자 위 호출 벨을 누른다.

대화 속 문법 | 1번 | 56쪽

1) 이번 주말에 제주도에 간다면서요

2) 집에서 취미로 과자를 만든다면서요

3) 한국에서는 쓰레기를 배출할 때 쓰레기봉투를 따로 구입해야 한다면서요

어휘와 표현 | 1번 | 57쪽

1) 반말과 높임말이 있다

2) 웃어른을 존경하는

3) 집 안에서 신발을 벗고

4) 숟가락과 젓가락을 사용해서

5) 가족을 부르는 말이 다양하다

6) 정이 많다

손동작	나라별 의미		
	대부분의 나라	OK, 좋다	
	프랑스	가치 없다	튀르키예, 브라질	욕
	대부분의 나라	최고	
	유럽	숫자 1	호주	거절이나 욕
	대부분의 나라	승리	한국	사진 찍을 때 사용
	그리스	무시(손바닥 보이는 V)	영국과 호주	무시(손등 보이는 V)
	한국	약속	인도	화장실에 가고 싶다
	발리	나쁘다	중국	도움이 안 되는 사람

07 ✎ 저는 하늘길을 관리하는 일을 합니다

문법　1번　62쪽

1) 건물을 짓는 데에
2) 다양한 경험을 쌓는 데에
3) 반려동물을 기르는 데에
4) 마음을 안정시키는 데에
5) 진로를 결정하는 데에

듣고 말하기　1번　63쪽

1) 노래에 어울리는 춤을 만든다. 공연을 연출한다. 영화나 광고에 필요한 몸동작을 만든다.
2) ① ×　　　② ○

대화　1번　64쪽

1) 관제사
2) 비행기가 빠른 길을 갈 수 있도록 안내하고, 안전하게 착륙하는 데에 도움을 주는 일(하늘길을 관리하는 일)
3) 정확한 판단력과 순발력

대화 속 문법　1번　64쪽

1) 한국에 살다 보니 매운 음식도 잘 먹게 되었어요
2) 선생님의 설명을 듣다 보니 비로소 이해가 되기 시작했어요
3) 오랜만에 만난 친구와 이야기하다 보니 시간이 가는 줄도 몰랐어요

어휘와 표현　1번　65쪽

1) 해결하는
2) 창조해요
3) 제작하는
4) 홍보하는
5) 제공하기
6) 검사하는

읽고 쓰기　1번　66쪽

1) 요리 연구가는 새로운 메뉴와 요리 방법을 만드는 일을 하고, 요리사는 손님들에게 맛있는 음식을 만들어 주는 일을 한다.
2) 요리 실력, 사람들의 취향과 요구를 분석하고 그에 맞는 요리를 개발할 수 있는 능력, 전통 음식이나 다른 나라의 음식을 다양하게 연구하고 새롭게 창조할 수 있는 능력

08 ✎ 삶에 대한 가르침을 줬다는 점에서 존경을 받습니다

문법　1번　70쪽

1) 세종 대왕　---- 한글을 만들었다　---- 존경을 받다
2) 인간　　　　　환경 오염을 줄일 수 있다　---- 매우 중요하다
3) 나　　　　　　높임말과 반말이 있다　　　 운이 좋은 사람이다
4) 태양 에너지　 문자를 사용하다　　　　　 영어와 차이가 있다
5) 한국어　　　　나를 진심으로 걱정해　　　동물과 구별되다
　　　　　　　　주는 사람이 있다

2) 인간은 문자를 사용한다는 점에서 동물과 구별된다.
3) 나는 나를 진심으로 걱정해 주는 사람이 있다는 점에서 운이 좋은 사람이다.
4) 태양 에너지는 환경 오염을 줄일 수 있다는 점에서 매우 중요하다.
5) 한국어는 높임말과 반말이 있다는 점에서 영어와 차이가 있다.

듣고 읽기　1번　71쪽

1) ③
2) ① ○　　　② ×

듣고 읽기　2번　71쪽

1) 집에 찾아오는 모든 손님을 잘 대접했기 때문이다.
2) 배고픈 사람들에게 쌀을 나눠 주고 겨울에는 옷을 만들어서 나눠 주기도 하였다.
3) 재산을 늘리는 데만 힘쓰지 않고 이웃들에게 나누고 베푸는 삶을 살았기 때문이다.

대화　1번　72쪽

1) 한국의 승려이자 《무소유》라는 책을 쓴 수필 작가
2) 아무것도 갖지 않는다는 것이 아니라 불필요한 것을 갖지 않는다

는 뜻

3) 삶에 대한 중요한 가르침을 주었기 때문에

대화 속 문법 | 1번 | 72쪽

1) 매일 밤늦게까지 컴퓨터 게임을 한 결과 성적이 많이 떨어졌다

2) 약을 꾸준히 먹은 결과 병이 빨리 나았다

3) 선수들이 열심히 노력한 결과 대회에서 우승했다

어휘와 표현 | 1번 | 73쪽

1) 몸소 실천한

2) 인간의 한계에 도전하는

3) 훌륭한 예술 작품을 남긴

4) 권리 보호에 앞장선

5) 백신을 개발하는

6) 나라를 위기에서 구한

---

09 ✏️ 갈수록 현금을 사용하는 사람들이 줄어들고 있습니다

문법 | 1번 | 78쪽

1) 들을수록

2) 갈수록

3) 먹을수록

4) 발달할수록

5) 할수록

듣고 말하기 | 1번 | 79쪽

1) ①

2) ① ○   ② ×

대화 | 1번 | 80쪽

1) 간편 결제가 점점 늘어나고 있다는 것

2) 현금이나 카드 없이 휴대폰으로 편리하게 결제하는 것

3) 방법이 편리한 데다가 다양한 할인도 받을 수 있어서

대화 속 문법 | 1번 | 80쪽

1) 동생은 노래를 잘 부르나 나는 잘 부르지 못한다

2) 이 구두는 디자인은 예쁘나 발이 편하지 않다

3) 친구를 한 시간 동안 기다렸으나 오지 않았다

어휘와 표현 | 1번 | 81쪽

1) 달라지고/변화하고

2) 급격히

3) 줄어들고/감소하고

4) 증가하고

읽고 쓰기 | 1번 | 82쪽

1) 독서 방식의 변화

2)

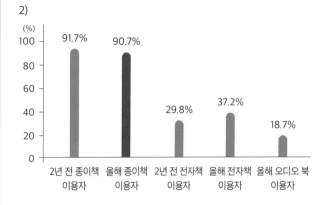

---

10 ✏️ 저는 인터넷에서 실명을 써야 한다고 생각해요

문법 | 1번 | 86쪽

1) 한국어를 빨리 배우려면 한국에서 배우는 게 좋다고 생각해요. / 한국어를 빨리 배우려면 우리 나라에서 배우는 게 좋다고 생각해요.

2) 아이를 잘 키우려면 도시에서 사는 것이 좋다고 생각해요. / 아이를 잘 키우려면 시골에서 사는 것이 좋다고 생각해요.

3) 직업을 선택할 때 연봉이 더 중요하다고 생각해요./직업을 선택할 때 적성이 더 중요하다고 생각해요.

4) 상담을 할 때 가장 중요한 것은 잘 들어 주는 것이라고 생각해요. / 상담을 할 때 가장 중요한 것은 공감이라고 생각해요.

듣고 말하기 | 1번 | 87쪽

1) ①

2) ① ×   ② ○

대화 | 1번 | 88쪽

1) 인터넷에서 실명(자기의 진짜 이름)을 사용하는 것

2) 안나: 인터넷 실명제를 해야 한다.
   주노: 인터넷 실명제의 부작용이 생길 수 있다.

대화 속 문법 | 1번 | 88쪽

1) 컴퓨터 게임을 많이 해서 성적이 떨어진 거 아닐까 해요

2) 현재의 삶에 만족할 때 행복을 느낄 수 있는 거 아닐까 해요

3) 내 주장의 근거가 부족해서 그를 설득하지 못한 거 아닐까 해요

어휘와 표현 | 1번 | 89쪽

1) 틀렸다

2) 장점이 있다

3) 적절한

4) 반대하는

3) 창업할

4) 노후를 보내고 싶어요

5) 은퇴하고/은퇴한 다음에/은퇴한 후에

6) 독립할

1) 어린이 출입 금지 식당이나 카페가 늘어나고 있다는 내용의 글과 댓글

2) 푸른하늘: 어린이 출입을 금지하는 것은 너무하다. 그 이유는 식당에서 뛰어다니거나 떠드는 어린이는 일부이고, 부모님들이 아이들을 잘 가르치면 아이들은 식당에서 남에게 피해를 주는 행동을 하지 않기 때문이다.

커피사랑: 어린이 손님의 출입 문제는 가게 주인이 선택하는 문제이다. 그 이유는 가게 주인 입장에서는 손님이 줄어들 수도 있는데 그렇게 하는 데는 이유가 있기 때문이다.

11 10년 후엔 행복한 가정을 이루고 있지 않을까 싶어요

1) 회사를 옮기지 않을까 싶어요

2) 내일이면 도착하지 않을까 싶어요

3) 세계사를 공부하면 좋지 않을까 싶어요

4) 가서 알아봐도 되지 않을까 싶어요

5) 합격하기 힘들지 않을까 싶어요

1) 한국에서 6개월 동안 어학연수를 함.

2) ① ○   ② ×

1) 세상의 기준이 아닌 자신의 기준대로 인생을 사는 사람들의 이야기

2) 이미 늦었다고 생각하며 도전을 두려워하는 사람들

1) 결혼해서 행복한 가정 이루기

2) 취미 생활을 즐기면서 재미있게 살기

3) 큰 한국 식당 창업하기

1) 친구한테 보통 전화를 하기보다는 메시지를 보내요/
친구한테 보통 메시지를 보내기보다는 전화를 해요

2) 쇼핑하는 게 즐겁기보다는 귀찮아요/
쇼핑하는 게 귀찮기보다는 즐거워요

3) 화가 나는 일이 있을 때 직접 말하기보다는 혼자 참아요/
화가 나는 일이 있을 때 혼자 참기보다는 직접 말해요

1) 입사할

2) 도전할 거예요/도전하고 싶어요

12 벌써 졸업을 한다니! 믿기지가 않습니다

1) 사람이 이렇게 빨리 헤엄치다니

2) 여기가 이렇게 많이 변했다니

3) 내가 이렇게 맛있는 요리를 만들다니

4) 집 근처에 이렇게 좋은 곳이 있었다니

1) 공연을 함.

2) 안나: 슬프기도 하고 좋기도 하다.
진: 공연을 준비하며 쌓았던 추억을 영원히 잊지 못할 것 같다.
해리: 내일부터 매일 하던 공연 연습이 없어 기분이 이상하다.

1) ④

2) 기쁘다, 긴장이 되다

1) • 벌써 졸업을 한다니 믿기지가 않는다.
• 끝까지 공부한 나와 반 친구들 모두에게 박수를 쳐 주고 싶다.
• 열심히 가르쳐 주신 선생님들께 감사하다.
• 모두 언젠가 꼭 다시 만나길 바란다.

2) 즐거웠다. 그렇지만 포기하고 싶을 때도 있었다. 문화에 대해서 생각해 보는 의미 있는 시간을 보냈다.

1) 유진 씨가 이번 시험에 꼭 합격하기를 바라요

2) 부모님께서 건강하게 오래 사시기를 바라요

3) 이번 모임에 꼭 참석해 주시기를 바라요

1) 홀가분해요

2) 몸 둘 바를 모르겠어요

3) 꿈만 같아요/믿기지 않아요

4) 걱정이 앞서요/부담스러워요

5) 눈물이 앞을 가려요/아쉬워요

6) 시원섭섭해요/아쉬워요

어휘와 표현 색인

4B

자료 출처

4B

※ 이 교재는 산돌폰트 외 Ryu 고운한글돋움OTF, Ryu 고운한글바탕OTF 등을 사용하여 제작되었습니다. Ryu 고운한글돋움OTF, Ryu 고운한글바탕OTF 서체는 서체 디자이너 류양희 님에게서 제공 받았습니다.

 이 교재는 국립공원공단에서 2021년 작성하여 공공누리 제1유형으로 개방한 '국립공원 꼬미'를 사용하였으며, 해당 저작물은 국립공원공단(www.knps.or.kr)에서 무료로 다운 받으실 수 있습니다.
이 교재는 네이버에서 제공하는 나눔고딕폰트를 사용하였습니다.

※ 강승희, 곽명주, 박가을, 이재영, 정원교 작가와 함께 작업했습니다.

| 게티이미지코리아 |

2과 24쪽_대화 속 문법 1번; 26쪽 3과 29쪽_1번 (우, 위로부터)②; 32쪽_대화 속 문법 1번 4과 37쪽_2번; 40쪽; 42쪽_1번 좌 5과 47쪽_2번 (하, 좌로부터)① 6과 53쪽_2번 (상, 좌로부터)③/④, (하, 좌로부터)③; 55쪽_2번 좌; 58쪽 7과 61쪽_2번 (상, 좌로부터)①; 62쪽_문법; 63쪽_2번 하 8과 69쪽_1번 (상, 좌로부터)①, 하; 71쪽_2번; 73쪽_2번 (좌로부터)② 9과 77쪽_1번 (상, 좌로부터)③; 79쪽_1번 10과 86쪽_문법 하; 90쪽 11과 93쪽_1번 (하, 좌로부터)① 12과 102쪽_문법

| 셔터스톡 |

스피커 아이콘
말풍선
연필 아이콘
1과 13쪽; 14쪽; 15쪽; 17쪽; 18쪽 2과 21쪽; 22쪽; 23쪽; 24쪽_대화 1번; 25쪽 3과 29쪽_1번 (좌, 위로부터)①/②/③, (우, 위로부터)①/③; 30쪽; 31쪽; 33쪽; 34쪽; 35쪽 4과 37쪽_1번; 38쪽; 39쪽; 41쪽; 42쪽_1번 우 5과 45쪽; 46쪽; 47쪽_2번 상/(하, 좌로부터)②; 48쪽; 49쪽_어휘와 표현 상, (하, 좌로부터)①/③, 2번; 50쪽; 51쪽 6과 53쪽_1번, 2번 (상, 좌로부터)①/②, (하, 좌로부터)①/②/④; 54쪽; 55쪽_1번, 2번 우; 57쪽_2번; 7과 61쪽_1번, 2번 (상, 좌로부터)②, 하; 62쪽_1번, 2번; 63쪽_1번, 2번 상; 64쪽; 65쪽; 66쪽 8과 70쪽; 71쪽_1번; 73쪽_어휘와 표현, 2번 (좌로부터)①/③/④ 9과 77쪽_1번 (상, 좌로부터)①/②, (하, 좌로부터)①/②/③; 78쪽; 79쪽_2번; 80쪽; 81쪽; 82쪽 10과 86쪽_문법 상, 1번, 2번; 87쪽; 88쪽; 89쪽 11과 93쪽_1번 (상, 좌로부터)①/②; 94쪽; 95쪽; 96쪽; 97쪽; 99쪽 12과 101쪽_1번 (상, 좌로부터)①, (하, 좌로부터)②, 2번; 102쪽_1번, 2번; 103쪽_1번; 105쪽; 106쪽; 107쪽

| 연합뉴스 |

12과 101쪽_ 1번 (시계 방향으로)④ 축구 선수 손흥민

| 기타 |

3과 29쪽_ '대학 생활 고민' (장현진, 정윤경, 김민경, 류지영 저, <대학 진로교육 현황조사(2017)> 한국직업능력개발원·교육부 발행, 2017.)
4과 37쪽_ '내 인생에서 후회되는 일' (MBC-TV 제공 _'7옥타브' 12회 중)
8과 72쪽_ 법정스님 ((사)맑고 향기롭게 제공)
　　　74쪽_ 세종대왕 어진 (운보문화재단 소장)
　　　74쪽_ 측우기 (ⓒ문화재청)
9과 77쪽_ '한국의 가족 인원 변화' (통계청, 2015년 인구주택 총조사 결과)
10과 85쪽_ '인터넷 실명제' (ⓒ리얼미터)
11과 93쪽_ '한국 사람들이 평균적으로 어떤 일을 하는 연령' (통계청, 2021년 5월 경제활동인구조사 고령층 부가조사 결과)
12과 101쪽_ 1번 (시계 방향으로)② 배우 이민호 (MYM엔터테인먼트 제공)

메모

세종한국어 4B

기획	국립국어원	박미영 학예연구사
	국립국어원	조　은 학예연구사
집필	책임 집필	이정희 경희대학교 국제교육원 교수
	공동 집필	최은지 원광디지털대학교 한국어문화학과 교수
		김금숙 상지대학교 한국어문화학과 조교수
		김민경 고려대학교 교양교육원 초빙교수
		김가람 전북대학교 교과교육연구소 연구교수
	집필 보조	김민아 서울대학교 국어교육과 박사수료
		김지예 고려대학교 교양교육원 강사
		정성호 경희대학교 국어국문학과 박사수료
		서유리 경희대학교 국어국문학과 박사과정

발행　　　국립국어원

주소: (07511) 서울특별시 강서구 금낭화로 154

전화: +82 (0) 2-2669-9775

전송: +82 (0) 2-2669-9727

누리집: www.korean.go.kr

초판 1쇄 발행　　　2022년 9월　1일

초판 2쇄 발행　　　2024년 1월 26일

편집 · 제작　　　공앤박 주식회사

주소: (05116) 서울특별시 광진구 광나루로56길 85, 프라임센터 3411호

전화: +82 (0) 2-565-1531

전송: +82 (0) 2-6499-1801

누리집: www.kongnpark.com / www.BooksOnKorea.com (구매)

총괄	공경용
편집	이유진, 김세훈, 이진덕, 여인영, 김령희, 성수정, 최은정, 함소연
영문 편집	Sung A. Jung, Paulina Zolta, Kassandra Lefrancois-Brossard
디자인	오진경, 서은아, 이종우, 이승희
삽화	강승희, 곽명주, 박가을, 이재영, 정원교
관리·제작	공일석, 최진호
IT 자료	손대철
마케팅	윤성호

ISBN 978-89-97134-29-8 (14710)

ISBN 978-89-97134-21-2 (세트)

© 국립국어원, 2022

뒤 그림 | 대한민국 전도

©국토지리정보원 제공

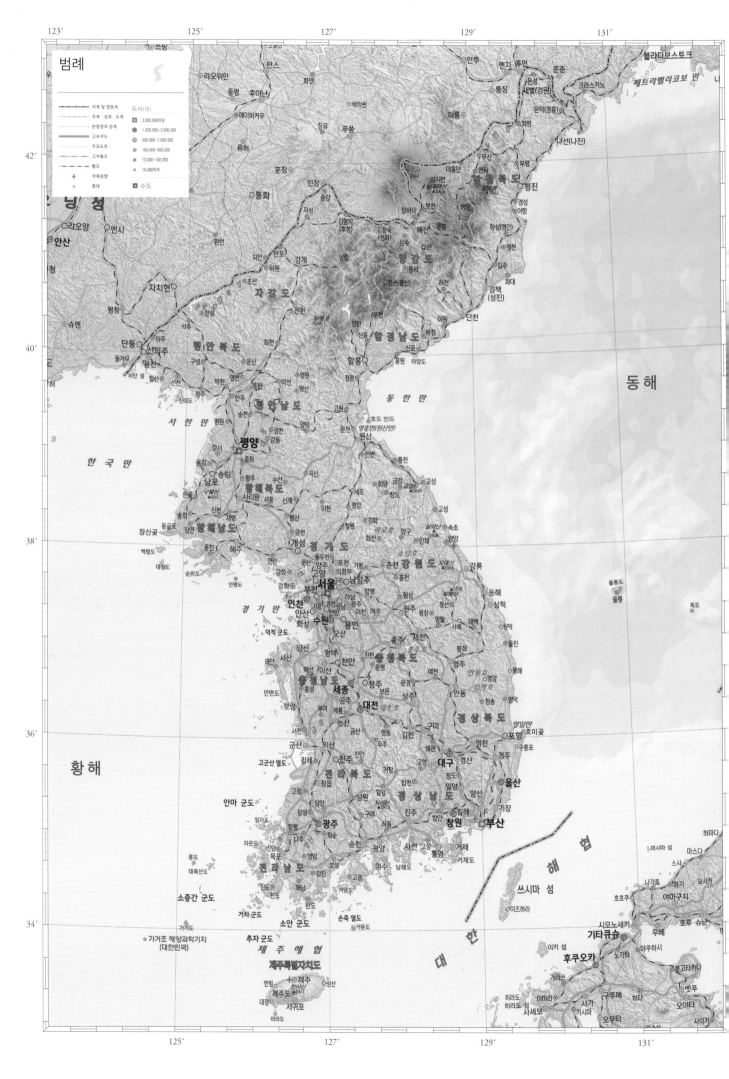